Библиотека
настоящих принцесс

Джессика Дэй Джордж

Принцесса полночного бала

Санкт-Петербург

УДК 087.5
ББК 84(4Сое)-44
Д 42

Jessica Day George
PRINCESS OF THE MIDNIGHT BALL

Перевод с английского *Анастасии Кузнецовой*
Серийное оформление и оформление обложки
Татьяны Павловой

Джордж Дж. Д.

Д 42 Принцесса полночного бала : роман / Джессика Дэй Джордж ; пер. с англ. А. Кузнецовой. — СПб. : Азбука, Азбука-Аттикус, 2015. — 352 с. — (Библиотека настоящих принцесс).

ISBN 978-5-389-08940-2

Какая девушка откажется танцевать всю ночь напролет в великолепном замке, да еще и с красивым поклонником? Но принцессу Розу и одиннадцать ее сестер такая идея совсем не привлекает. Ведь для них танцы уже давно перестали быть удовольствием и превратились в тяжелую повинность, которую они вынуждены исполнять каждую ночь на протяжении долгих лет. Им приходится хранить это в тайне, ведь они связаны ужасным заклятием. Поэтому никто не знает, как же так получается, что каждое утро бальные туфельки принцесс оказываются стоптаны до дыр, хотя сами принцессы всю ночь не покидали своей спальни. Многие принцы пытались проникнуть в их тайну, но безуспешно. Но может быть, это удастся молодому солдату Галену, влюбленному в Розу?

Впервые на русском языке!

**УДК 087.5
ББК 84(4Сое)-44**

ISBN 978-5-389-08940-2

Посвящается Дженни.
Наконец-то

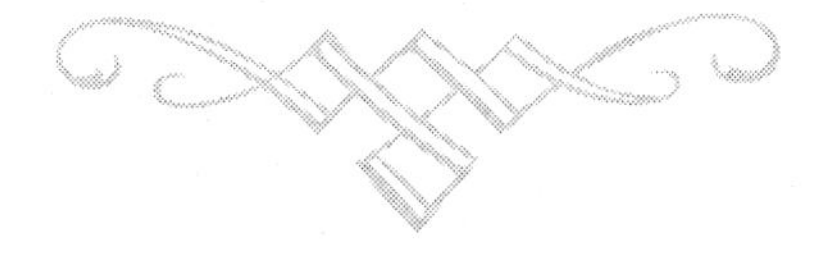

Пролог

Некогда Подкаменный король и сам был человеком, и до сих пор его иногда посещали человеческие чувства. Подобный приступ он переживал и сейчас, глядя на стоящую перед ним смертную женщину, но не сразу нашел ему название, а помедлив, мысленно обозначил как «триумф».

— Тебе понятны условия нашей сделки? — Голос короля напоминал звон стального клинка, ломающегося о камень.

— Понятны. — Голос человеческой королевы не дрогнул. — Двенадцать лет я буду танцевать для тебя здесь, внизу, а в обмен на это Вестфалин[1] победит.

---

[1] Вестфалин очень похож на Германию начала девятнадцатого века. *(Прим. автора.)*

— Не стоит забывать о годах, которые ты мне еще должна, — напомнил король. — Наша первая сделка пока не закрыта.

— Знаю.

Она устало склонила голову — под глазами залегли темные круги, а в волосах поблескивала седина, хотя молодость еще не покинула ее.

Подкаменный король протянул длинную белую руку и поднял голову королевы за подбородок.

— Какая жалость, что твои дочери не сопровождают тебя на наши маленькие праздники. Они, несомненно, славные девочки. А мои двенадцать сыновей стосковались по обществу.

И снова ощущение триумфа: эти смертные девушки должны танцевать с его сыновьями. Мальчики растут, а подыскать им невест непросто.

Красивых невест, способных ходить под солнцем.

И тут к нему является эта смертная королева, умоляя о помощи в обзаведении потомством с ее жирным, глупым мужем. Семерых дочерей она уже принесла. А когда родит дюжину, решил Подкаменный, он найдет способ привести девушек вниз и познакомить с будущими мужьями.

По лицу смертной королевы промелькнул ужас.

— Мои д-дочери милые, д-достойные девушки, — пролепетала она. — И юные. Слишком юные для замужества.

— Но и мои сыновья весьма молоды, а их дорогие матери были, как на подбор, милые, достойные женщины, в точности как ты и твои маленькие дочери! Принцы нуждаются в обществе себе подобных.

Каждый из сыновей Подкаменного был рожден смертной женщиной, и женить их он хотел тоже на смертных. Подкаменный король отвел непослушный локон с лица королевы.

Она отпрянула.

— Мы закончили? Мне надо... к детям... мой муж...

— Да-да. — Он махнул длинной рукой. — Сделка заключена. Можешь идти.

Она отвернулась и поспешила прочь. Прочь из этого черного дворца на окутанном тенями берегу. Безмолвная фигура в плаще с капюшоном перевезла ее в ажурной серебряной лодке через не знающее солнца озеро и проводила до ворот в подлунный мир.

Наблюдая бегство королевы Мод, Подкаменный король улыбался. Она вернется. Ей придется возвращаться каждую неделю. Но не это вызвало у него улыбку. Она довольно долго скрывала свое состояние, но, когда садилась в лодку, сделалось очевидно, что человеческая королева ожидает восьмого ребенка, в точности по расписанию.

— Еще одна драгоценная маленькая принцесса для нее и ее дорогого Грегора, — произнес Подкаменный; холодный отблеск человеческого чувства едва коснулся его голоса. — И еще одна красивая невеста для одного из моих сыновей.

Солдат

Вымотанный до предела, почти неспособный даже думать, Гален упрямо тащился по пыльной дороге, совершенно один. В голове вертелась походная песня его старого полка, однако ноги не столько печатали шаг, сколько спотыкались.

«Ать-два, веселей, прочь от жен и от детей! Ать-два, левой-правой, я вернусь со славой!»

Он усмехнулся про себя. Ему еще и девятнадцати не сравнялось, а большая часть жизни прошла на поле боя. Покидать ему было некого и нечего — ни жены, ни детей, только грязные шатры, дрянная кормежка и смерть. Впереди лежала бесконечная дорога: пыль, жажда — и жизнь. По крайней мере, он на это надеялся.

Юноша сделал последний глоток воды, повесил флягу на пояс и поковылял дальше. Ветер продувал изношенную солдатскую куртку насквозь; надвигалась зима.

Поля вокруг уже много лет лежали под паром. На одном гнила в земле репа, посаженная неким преисполненным надежд семейством, — убирать урожай оказалось некому. На другом поле сорняки вымахали выше человеческого роста. Там паслась корова с теленком, и Гален свернул с дороги. Животные выглядели брошенными, значит никто не станет возражать, если прохожий солдат наполнит флягу молоком. Но стоило ему сделать второй шаг в их сторону, как корова тревожно замычала и потрусила прочь, теленок не отставал. Она слишком долго бродила сама по себе и вовсе не мечтала о дойке.

Юноша со вздохом продолжил путь. Довольно часто ему попадались такие же солдаты, направляющиеся домой. Он делил с ними скудную трапезу и ночлег, наутро шел некоторое время в компании таких же изможденных бойцов в синих мундирах, но никогда не задерживался надолго в их обществе. А они находили такое поведение странным. Считалось, что в пылу битвы незнакомые люди становятся братьями и связь эту неспособны разорвать ни смерть, ни расстояние. Гален, однако, никогда ничего подобного не ощущал. Первый бой он увидел в семь лет. Помогал матери заботиться о раненых, а потом смотрел, как она отстирывает кровь врагов с отцовского мундира. Галену война представлялась болезнью, тем, чего следовало избегать, а вовсе не темой для дружеской беседы у костра с такими же страдальцами.

Порой женщины или старики, вышедшие из солдатского возраста, предлагали подвезти его. И всегда спрашивали, не встречал ли он на полях сражений их сыновей, братьев, мужей. Ему редко удавалось их обнадежить: армия велика, а полк Галена стоял в Исене, далеко от здешних полей и лесов. Юноша как мог отвечал людям, рассказывал о солдатской жизни и вместе с ними радовался окончанию войны. Вестфалинцы в итоге победили аналузцев, но горький привкус имела эта победа. После двенадцати лет войны страна по уши увязла в долгах союзникам, и многие солдаты не вернулись домой. А иным, как Галену, оказалось некуда возвращаться.

Сын сержанта и полковой прачки, Гален родился в домике, выходившем на плац, где целыми днями маршировал отец. Мальчику исполнилось шесть, когда напали аналузцы и отцовский полк послали на передовую. Мать, сама дочь солдата, собрала Галена и его маленькую сестру и присоединилась к обозу. Она стирала синие мундиры и штопала серые носки вплоть до того дня, когда болезнь легких — смертельный дар сырости и холода — оборвала ее жизнь. Маленькая сестренка Галена Ильза тоже страдала легочной хворью.

Она поправилась, но у нее часто сбивалось дыхание, поэтому во время переходов ее сажали в обозные фургоны. Сестра погибла, когда ее фургон сорвался с крутой горной дороги и ухнул в реку.

К тому времени Галену сравнялось двенадцать. С восьми лет он работал вместе с солдатами: подносил порох и снаряды, перезаряжал ружья и пистолеты, доставлял донесения генералам и полевым командирам. Он умел стрелять из ружья и пистолета, бить штыком, чистить картошку, накладывать лубки на сломанные конечности, драить сапоги, стирать рубашки и вязать себе носки. Он также метко плевал на шесть футов, ругался, как лучшие из сержантов, и выкрикивал оскорбления аналузцам на их собственном языке. Отец очень им гордился.

Отец получил чин сержанта, а потом однажды утром — сыну тогда было пятнадцать — пал от аналузской пули. Гален похоронил его в общей могиле, вырытой после боя, вскинул на плечо отцовское ружье и ушел на следующую перестрелку. Спустя всего неделю он, сам того не ведая, застрелил человека, убившего отца, всадив ему пулю аккурат в то же место — на дюйм левее сердца.

Те дни, хвала Господу, миновали, и Гален надеялся, что ему больше не придется никого убивать. Он направлялся на северо-восток, подальше от Аналузии, в самое сердце Вестфалина. Его вела надежда разыскать в столичном городе Бруке родню по матери. В боях пало много народу, и теперь Гален уповал, что для него найдется место не только в тетушкином доме, но и в семейном деле тоже. Он точно не помнил, в чем оно заключалось; мать говорила, что вроде бы дядя что-то делал с деревьями. Дровосек в центре города — странное занятие, но Гален не собирался привередничать. Ему требовалась работа, еда и место, где можно кинуть усталые кости.

— О мои старые, усталые кости!

Что это, эхо его мыслей? Гален резко остановился. Куча тряпья на обочине сложилась в очень старую женщину в потрепанном платье и шали. Горбунья уставилась на Галена ярко-голубыми глазами:

— Привет тебе, юный солдатик!

— И тебе привет, добрая женщина, — отозвался он.

— Не найдется ли у тебя чего-нибудь поесть для старухи? — Она облизнулась, показав весьма немногочисленные зубы.

Гален со стоном сбросил ранец на землю и опустился на обочину рядом.

— Посмотрим.

Он не считал, как некоторые другие солдаты, что остальная страна перед ним в долгу. Да, они сражались, но такова была их работа. Гражданские ведь тоже продолжали трудиться. Швеи шили, кузнецы подковывали лошадей и делали гвозди, крестьяне, не призванные на войну, возделывали землю. К тому же родители внушили сыну глубокое почтение к женщинам и старикам, а это древнее создание относилось и к тем и к другим.

Гален пошарил в ранце.

— Воду я уже допил, но у меня остался глоток вина. — Он выложил на землю бурдюк. — Еще есть три галеты, клинышек старого сыра и мешочек сушеного мяса. Вот немного поздних ягод, собрал сегодня утром.

Ягоды Гален предложил старухе не без сожаления: он берег их для особого случая. Но куда хуже было бы отказать старой женщине в такой малости, способной доставить ей удовольствие.

— Для галет и сушеного мяса у меня зубов маловато. — Улыбка ее зияла еще большим числом провалов, чем Гален заметил прежде. — Но я бы не отказалась от толики сыра и вина, прямо как на дворцовом пиру.

Гален взял две из трех галет и впоследствии пожалел об этом. Вода у него вышла, а вино старушка прикончила одним глотком. Затем она принялась за сыр, закатывая глаза и причмокивая. Гален поймал себя на том, что улыбается.

Изогнув бровь, старуха взглянула на ягоды:

— Поделишься, милый?

— Разумеется. — Гален подвинул к ней угощение.

Горбунья взяла горсточку и принялась класть в рот по одной ягоде, смакуя их так же, как сыр и вино. Мысленно порадовавшись, что сотрапезница не забрала весь мешок, юноша тоже зачерпнул порцию и съел с таким же удовольствием.

Утолив голод, старуха оглядела Галена:

— С войны идешь, а?

— Да, бабушка, — коротко отозвался юноша.

Он не хотел знать имя ее внука или правнука, павшего от аналузской пули.

Гален убрал оставшуюся галету, завернул сыр в тряпицу и вместе с мешочком ягод аккуратно сложил в ранец. Бурдюк для вина он положил сверху, надеясь выпросить глоток-другой в следующем деревенском доме.

— Я был на передовой.

Гален не знал точно, зачем добавил эту подробность, но она служила ему источником затаенной гордости, мол, побывал на передовой и уцелел.

— А-а. — Старуха печально вздохнула. — Дурное дело. Хуже, чем должно было быть, знаешь ли. — Она приложила палец к горбатому носу и подмигнула.

Гален помотал головой:

— Не понимаю.

Старуха только поцыкала зубом и задумчиво покивала.

— Помни только: когда заключаешь сделку с теми, кто живет внизу, всегда есть скрытая плата. — И снова покивала.

— Понимаю, — в замешательстве произнес Гален. — Спасибо.

На самом деле он ничего не понял и решил, что старуха совершенно спятила, однако вряд ли из-за него.

— Я лучше пойду, пока еще светло. — Он встал и вскинул ранец на плечи.

— Верно, верно, ночи-то холодные, — отозвалась старуха, тоже поднимаясь на ноги. Она задрожала и закутала плечи тонкой шалью. — И дни тоже.

Гален не колебался. Он снял с шеи шарф и протянул ей. Очень теплый шарф из синей шерсти.

— Вот, бабушка, возьми.

— Я не могу отбирать у тебя последнее, бедный солдатик, — возразила горбунья, потянувшись к шарфу.

— У меня есть еще, — ласково сказал юноша. — И спицы с нитками, захоти я связать себе новый.

Расправив подарок на слабом солнечном свету, старушка восхитилась плотной вязкой.

— Сам связал, говоришь?

— Ага. Между боями времени достаточно — хоть дюжину шарфов и сотню носков связать можно, уж я-то знаю. — У него вырвался короткий смешок.

— Я думала, солдаты коротают время, играя в кости и распутничая, — по-девчачьи хихикнула она.

— С костями и распутством все в порядке, но какой от них прок, когда носки у тебя драные, а сквозь дырки в палатку падает снег, — мрачно отозвался Гален. Затем отогнал воспоминание. — Носи на доброе здоровье.

Жаль, он не запасся шалью — ее-то совсем расползлась. Но единственную в своей жизни шаль юноша связал в подарок генеральской дочке с ласковыми карими глазами.

— Ты очень добр к старухе, очень добр. — Горбунья обернула шарф вокруг шеи, спустив концы на тощую грудь. — И я отплачу тебе за доброту.

Гален ошарашенно замотал головой. Что она может дать?

— В этом нет необходимости, бабушка, — уверял он, пока она рылась скрюченными пальцами под шалью.

— Нет, есть. В этом жестоком мире доброту всегда следует награждать. Столько людей прошло мимо меня вчера и сегодня, а ни доброго слова, ни кусочка хлеба. И ты мне чем-то нравишься.

Она завела руку за спину, и у Галена отвисла челюсть. То, что он принимал за горб, оказалось свертком из ткани, засунутым под платье. Старушка вытащила его и протянула юноше.

Короткий плащ отчасти напоминал форменные плащи аналузских офицеров, но он был не зеленым, как вражеское обмундирование, а тускло-фиолетовым. Высокий жесткий воротник застегивался на золотую цепь. Старуха встряхнула плащ — мелькнула бледно-серая шелковая подкладка.

— Тебе бы самой его носить, а не мерзнуть! — воскликнул он.

Старуха захихикала:

— Ага, и чтобы меня крестьянская телега переехала? Путешествовать в такой штуке — безумие!

Гален поджал губы. Бедная старушенция и впрямь рехнулась. Он прикинул, не помочь ли ей добраться до ближайшей деревни. Там ее наверняка кто-нибудь узнает — в ее возрасте она не могла забрести слишком далеко.

Старуха подалась вперед и произнесла громким шепотом:

— Это плащ-невидимка, мальчик мой. Примерь.

Гален беспомощно огляделся, но поблизости ни в какую сторону не виднелось ни домика, ни амбара.

— Право, не стоит... Наверное, нам следует поискать твою родню.

— Примерь! — каркнула старуха, как сердитая ворона, и махнула на него плащом. — Примерь!

Гален поднял руки, сдаваясь.

— Хорошо-хорошо. — Он опасливо взял плащ и накинул на плечи. Пола зацепилась за ранец, и юноша нетерпеливо дернул ткань. — Вот! Как я выгляжу?

Он вытянул руки перед собой. Насколько можно было судить, невидимым он не сделался.

Закатив глаза, старуха покачала головой:

— Его надо застегнуть.

Не желая снова ее расстраивать, Гален взял болтающийся конец цепочки и закрепил его в золотом зажиме на воротнике. Он хотел взмахнуть краем плаща для пущего эффекта, но вместо этого вскрикнул. Руки пропали. Опустив глаза, он вообще не увидел ни одной части себя — только два отпечатка подошв.

Старуха в восторге захлопала в ладоши:

— Чудесно! Точно в пору!

— Я невидим, — произнес Гален удивленно.

Он прошел по кругу, оставляя следы в пыли.

— Конечно! Но послушай меня, мальчик. Невидимкой быть опасно. — Старуха провожала его следы взглядом, и впервые голос ее прозвучал ясно. — И кони могут затоптать, и бесчисленное множество других вещей представляет угрозу. Этот плащ не стоит использовать для забавы — только в час подлинной нужды.

Гален расстегнул плащ и увидел, как его тело постепенно возвращается в зримый мир. С великой неохотой он протянул чудесный наряд старой женщине.

— Я не могу принять от тебя подобный дар, добрая женщина, — с уважением произнес он. — Это волшебное сокровище. Ты должна тщательно беречь его и найти чародея или еще кого-то, кому сумеешь его продать. На вырученные за подобную вещь деньги можно не то что новое платье — даже дом купить.

Не успел он увернуться, как старуха отвесила ему затрещину.

— Плащ не для продажи, даже если я помру с голоду. Его надлежит вручить тому, кому он всего нужнее. И это ты, солдатик.

Гален затряс головой, избавляясь от звона в ухе.

— Но он мне ни к чему, — возразил он, снова пытаясь вернуть подарок. — Я всего лишь солдат, ты же сама сказала, по крайней мере бывший. У меня нет ни дома, ни подружки, ни даже работы.

Отталкивая его руки, старушка склонила голову набок.

— Он тебе понадобится. И еще кое-что.

Она снова пошарила в своих лохмотьях и на сей раз извлекла на свет божий большой клубок белой шерсти и клубок поменьше — черной.

— Черная груба, но крепка, — сказала она. — Белая мягка, но тепла и крепка по-своему. Одна связывает, другая защищает. Черная — как железная цепь, белая — как лебедь, плывущий по воде. — Она силком впихнула клубки Галену в руки, и он едва не выронил шерсть и плащ. — Черная — как железо, белая — как лебедь, — повторила она, многозначительно глядя ему в лицо.

Он машинально повторил ее слова:

— Одна связывает, другая защищает. Черная — как железо, белая — как лебедь.

Старуха отвернулась и двинулась прочь, в ту сторону, откуда пришел Гален.

— Она тебе пригодится, Гален, — бросила она через плечо. — Когда окажешься во дворце, очень пригодится. Его нельзя пускать наверх.

— Кого нельзя пускать? И не собираюсь я во дворец, — в замешательстве ответил он удаляющейся спине. — Найду работу у дяди с тетей, они... — Он осекся. — Откуда ты знаешь мое имя?

— Помни, Гален, — повторила старуха. — Когда окажешься во дворце, очень пригодится.

Брук

Гален добрался до Брука спустя неделю. Город сильно напоминал армейский лагерь: снующие люди, грязь, запах дыма и лошадей и тысяча других соперничающих друг с другом ароматов. Вот только, в отличие от рядов палаток, улицы в Бруке шли не прямо, и Гален вскоре заблудился. Наконец он остановился посреди мостовой и повернулся вокруг себя, пытаясь решить, куда идти.

— Заблудился, солдатик? — Статная женщина в переднике выглянула из пекарни неподалеку и тепло улыбнулась юноше. — Хочешь булочку с глазурью?

В животе у Галена громко заурчало, и проходившая мимо девушка с корзинкой на согнутой руке хихикнула. Он взглянул на нее, а она дерзко подмигнула в ответ.

— Молчание — знак согласия, — заявила булочница, снова привлекая его внимание. — Входи, входи.

Покрасневший Гален повиновался. Ему не хотелось кричать через всю улицу, что у него нет денег на глазированную булочку, но булочница остановила его, вскинув ладонь, не успел он сделать и два шага в ее лавку.

— Я не возьму денег, даже если они у тебя есть, — заявила она, весело блеснув добрыми глазами. — Мои зятья благополучно вернулись домой две недели назад. В тот день, увидев их идущими по улице, я поклялась пригласить к себе и накормить до отвала любого солдата, что попадется мне на дороге. — Ее улыбка слегка потускнела, и она смахнула пыль с Галенова рукава. — Ведь у многих ни матери, ни жены, и некому встретить их с распростертыми объятиями, как мои дочери встретили своих мужей.

Юноша печально улыбнулся в ответ:

— Вы невероятно добры, сударыня. Меня зовут Гален Вернер.

— А я фрау Вайс, но ты можешь звать меня Зельда.

Она усадила гостя за маленький столик и принесла не только тарелку глазированных булочек, но и чашку чая с шиповником, большой кусок сырно-чесночного пирога и стакан холодного молока. Гален горячо поблагодарил ее и принялся за еду, оторвавшись только раз, чтобы встать и познакомиться с двумя дочерьми хозяйки. От улыбок у них на щеках появлялись ямочки.

— Наши мужья сразу нашли работу, — сообщила ему старшая, Ютта, между делом обслуживая покупателей. — Они чинят соборную крышу. Тебе тоже быстро что-нибудь подвернется, уверена. Нелегко пришлось, когда все трудоспособные мужчины ушли на войну.

Младшая, Кэти, фыркнула:

— Мы справлялись. Если помнишь, брешь в нашей крыше я заделала сама.

— И чуть не разбилась насмерть, возвращаясь обратно на твердую землю, — парировала Зельда, входя с подносом печенья с изюмом; три штуки она смахнула на тарелку Галена, а остальные выставила в окно лавки.

— Родные-то у тебя тут в Бруке есть? — Хозяйка снова остановилась у стола юноши. — Судя по тому, как уписываешь еду, до дома ты еще не добрался.

Устыдившись своих дурных манер, Гален проглотил остаток печенья слишком быстро и подавился. Ютта постучала его по спине, а ее младшая сестра принесла воды.

— Боюсь, что нет, — выдавил он, вновь обретя способность дышать. — У меня нет дома. И никогда не было: отец мой был солдатом, а мать — полковой прачкой. Они оба умерли. Но мама говорила, что в Бруке у нее сестра, вот ее-то я и разыскиваю.

— Надо же, — покивала вдовая молочница. — А фамилия-то как? Я в Бруке всю жизнь прожила.

— Если мама о ней не слышала, то ее не существует, — фыркнула Кэти.

Гален чуть поклонился ей.

— Тогда мне очень повезло, что вы меня заметили, сударыня. Мамина сестра вышла за Орма... Райнера Орма. Имя моей тетушки — Лизель.

У Кэти рот от удивления сложился в маленькое «о». Зельда крякнула и оглядела Галена с новым интересом.

— Понимаю.

Юношу сковало смущение. Неужели его родичи по матери пользуются широкой и притом дурной славой? Она о них совсем немного рассказывала. А вдруг они конокрады, или пьяницы, или еще что в этом роде, а он тут с гордостью произносит их имя в такой респектабельной лавке.

Ютта негромко присвистнула:

— Так Ормы твои родственники? Райнер Орм?

Кэти снова фыркнула:

— Ну, по крайней мере, мы можем точно сказать, что работа для тебя у них найдется. И постель тоже.

— Придержи язык, девочка, — хмуро взглянула на младшую дочь Зельда и кивнула Галену. — Я знаю улицу, где живет Райнер Орм. Ютта тебя проводит. Дом довольно легко найти.

— Я тоже могу проводить, — заныла Кэти.

— Ты отправишься внутрь и начнешь готовить обед для мужа, — рявкнула мать. — Ютта с меньшей вероятностью станет сплетничать по пути туда и зевать по сторонам, возвращаясь обратно. — Булочница подошла к Галену и взяла его за руки. — Добро пожаловать в любое время, мой мальчик. И если встретишь кого из боевых товарищей, скажи им, пусть приходят в лавку к Вайсам и тоже угощаются печеньем с изюмом.

— Спасибо, сударыня... Зельда. — Он встал, не выпуская ее рук, и отвесил церемонный поклон. — Вы очень добры, а я не пробовал такой вкусной выпечки... ну, никогда.

Юноша говорил правду: его мать не отличалась кулинарными талантами.

Зельда вспыхнула, улыбнулась и снова велела ему приходить. Затем поспешила в кухню позаботиться о чем-то в печи, утащив с собой надувшуюся младшую дочь.

Оставшись наедине, Ютта и Гален обменялись неловкими улыбками. Юноша с легкостью вскинул на спину тяжелый ранец, и старшая дочь Зельды повела его к двери и дальше по улице.

Довольно долго они шли молча, пока не минова-ли дворец. Высокая и угловатая королевская ре-зиденция с окнами граненого стекла, как у обыч-ных домов в Бруке, размером превосходила их раза в четыре, а стены ее покрывала розовая шту-катурка, отчего здание казалось фасонным пи-рожным на глиняном блюде.

Наконец Гален набрался храбрости спросить про Ормов.

— С ними что-то не так? — выпалил он.

— С кем не так? — удивилась Ютта.

— С родными моей матери. Ормами. Твоя мама... сестра... у них сделались такие лица, когда я назвал фамилию...

Ютта громко рассмеялась, а затем останови-лась и взяла юношу за рукав.

— С твоими родственниками все в поряд-ке, — твердо сказала она. — Просто они очень известные в Бруке люди. Поразительно, что один из их родичей забрел в нашу скромную лав-ку. Мы-то все ждали, что ты скажешь: «Такие-то и такие-то, у них портняжная мастерская», а мы попытаемся выяснить, где они живут. Но пле-мянник Райнера Орма? Боже правый!

— Да чем же они прославились?

— Это уже после начала войны. — Ютта дви-нулась дальше, и Гален не мог заглянуть ей в ли-цо. — Работа их, конечно, известна всему Бруку, но сама семья ничем не выделялась. — Она смягчила это заявление быстрой улыбкой. — Но потом... ну, кое-что произошло, и поднялся ворох сплетен.

Гален резко остановился. Так он и знал! С родичами матери связан какой-то скандал. Ох, что-то не хочется ему в это впутываться!

— Тебя это никак не коснется, — уловила его настроение Ютта. Она закусила губу. — Терпеть не могу разносить слухи, и, видит бог, я не посвящена в эту историю целиком, но могу заверить: твоя семья не опозорена.

— Так что же случилось?

— Не мне говорить.

Больше она ничего не сказала, и они продолжили путь в неловком молчании. Наконец, проходя мимо сказителя, окруженного стайкой детишек, молодые люди улыбнулись друг другу, потому что старик сплетал сказку о четырех принцессах из Руссаки.

— У короля и королевы Руссаки было четыре красавицы-дочери, — нараспев говорил сказочник. — Волосы у них блестели, как золото, глаза были синее сапфиров, а губки подобны спелым вишням. Желая защитить их от всякого зла, король с королевой заперли дочерей в высокой башне, ключ от которой имелся только у матери. Ни один мужчина никогда их не видел, и они проводили время, распевая песни и вышивая покровы для церковного алтаря. Но вот однажды темной ужасной ночью из башни раздались вопли. Король с королевой отперли дверь, взбежали по лестнице в тысячу ступеней и вошли к принцессам в покои. Там они увидели четырех своих любимых дочерей, каждую с черноволосым младенцем на руках. «Кто это сделал?» — потребовал ответа король. Но принцессы не сказали. И тут луну закрыла громадная тень, а когда вернулся свет, младенцы пропали. Ушли жить глубоко под землю, к созданию, которое является их повелителем, черному магу, чье имя не произносят вслух.

Детишки слушали сказочника, попискивая от страха и восторга, а Гален и Ютта свернули за угол и вышли к веренице домов, смотревших на западную стену дворцовых угодий. Дома были высокие, пышные, с белыми оштукатуренными стенами, расписанными цветами и птицами. Примерно на середине улицы возвышался над всеми прочими дом с ярко-зелеными ставнями, покрытый розовой штукатуркой точь-в-точь того же оттенка, что и дворец. Под каждым окном пенились белой и красной геранью резные ящики, а посреди зеленой двери красовался большой бронзовый молоток. Над дверью висел сухой венок из переплетенного черной лентой плюща:

в доме побывала смерть. Хотя, судя по состоянию плюща, с тех пор прошло изрядное время. Картина отнюдь не редкая: война.

— Вот это и есть дом Ормов, — сказала Ютта, останавливаясь.

Гален вытаращился на элегантный особняк, и у него сердце ушло в пятки.

— Ты уверена?

Наверняка Ютта ошиблась: родня его матери просто не могла жить в таком роскошном доме.

— Семейство Орм имеет специальное разрешение на использование штукатурки того же цвета, что и на стенах дворца, — ответила Ютта и похлопала его по руке. — Я оставлю тебя тут, Гален. Но ты всегда желанный гость в нашей лавке.

Юноша сглотнул.

— Спасибо. И, э-э, передай мужу мои наилучшие пожелания. — Он поклонился.

В ответ Ютта улыбнулась ему, сверкнув ямочками на щеках, и удалилась. Гален остался стоять на мостовой перед розовым домом, еще более потерянный, чем до того, как Зельда позвала его с улицы к себе в лавку.

Он уже собирался повернуть прочь. Найдется ведь где-нибудь добрый хозяин трактира, кто пустит на постой одинокого солдата, пока тот не наскребет в себе мужества встретиться с родней. И тут зеленая дверь открылась. На крыльцо вышла женщина в коричневом платье и свежем белом переднике, на руке у нее висела корзина. При виде юноши в синем армейском мундире и с ранцем на спине женщина замерла и побелела.

Испугавшись, как бы она не рухнула в обморок, Гален бросился вперед, забрал у нее корзину и поставил на землю, не зная, что делать дальше.

— О боже! О мое сердце! — Женщина прижала руки к обширной груди. — О святые угодники! — Она ахнула и снова вгляделась в лицо Галена, словно выискивая что-то. В глазах ее промелькнули разочарование и печаль. — Ох, простите меня! Я приняла вас за сво... другого. — Взгляд ее метнулся к траурному венку над дверью, и она пошатнулась.

Гален поспешно усадил ее на верхнюю ступеньку.

— Вдохните поглубже, сударыня, — в тревоге посоветовал он. — И еще разок. Мне ужасно жаль, что я так напугал вас.

— Ты не виноват. Это все моя собственная глупость. — Она испустила глубокий вздох. — О господи. — Еще один вздох.

Гален робко похлопал ее по руке, и она слабо улыбнулась в ответ:

— Не поможешь мне подняться?

Юноша помог женщине встать и протянул ей корзинку. Вроде бы бедняжка приходила в себя: лицо больше не бледнело, дыхание выровнялось.

— Пожалуйста, позвольте мне еще раз извиниться.

Галену хотелось заползти в нору и умереть. Это наверняка тетушкина домоправительница, а из-за него ее едва удар не хватил прямо на пороге. Теперь он вообще не может претендовать на гостеприимство Ормов.

Но, встав на ноги, женщина не собиралась его отпускать. Она оглядела молодого человека с ног до головы открытым взглядом, напомнив ему Зельду.

— Только что с войны, а?

— Да, сударыня.

— А дом где? — Прищурившись, она вгляделась в его лицо и медленно произнесла: — Есть в тебе что-то знакомое. Ты сын Бергенов?

— Мм, нет.

— Энгелей?

— Нет, — сказал Гален, неловко переминаясь с ноги на ногу.

— Так кто же твои родители?

Гален набрал побольше воздуха.

— Меня зовут Гален Вернер. Мой отец Карл Вернер. Мать — Рената Хаупт Вернер. — Он поторопился закончить: — Они оба умерли.

Я пришел сюда, потому что... потому что здесь моя единственная родня. По-моему. — Он указал на розовый дом.

— Ой! — Женщина бросила корзинку и заключила Галена в объятия. — Я ж говорю, что-то знакомое! Мальчик Ренаты! Ее единственный сын!

Гален неловко попытался похлопать ее по спине. Из-за ее неистовых объятий верхняя часть рук у него оказалась прижата к бокам, и ранец сползал.

— Я сестра твоей матери, — сказала наконец женщина, отстраняясь, и утерла глаза большим носовым платком. — Ох, какая радость! Какой сюрприз! Я твоя тетушка Лизель.

Галена накрыла волна облегчения. Прием оказался даже более теплым, чем он надеялся. Тетушка снова обняла его, и на этот раз он искренне ответил ей тем же.

Дверь распахнулась, на пороге возник высокий широкоплечий мужчина. Он нахмурился при виде развернувшейся перед ним сцены. Седые волосы и внушительные усы придавали ему сходство с сердитым моржом.

— Лизель, ты в своем уме?

— Ой, Райнер! Только глянь: это ж сынок моей дорогой Ренаты! Он пришел домой с войны! — Она слегка ткнула Галена в спину, подталкивая его к Райнеру Орму.

— Мое почтение, сударь, — с поклоном произнес Гален. — Я Гален Вернер, мои родители — Карл и Рената Вернер.

— Умерли, да? — проворчал Райнер. — Погибли на войне?

— Э, да, сударь. — Гален слегка моргнул от такой прямоты. — Мать скончалась от болезни легких. Отца застрелили. Сестренка, Ильза, погибла в горах. Несколько лет назад.

— Ой, бедные мои! Рената померла? А я и не знала! — Лизель кудахтала и суетилась вокруг него, но Гален не сводил глаз с Райнера.

Тот в ответ не сводил глаз с гостя.

— Стало быть, ты утверждаешь, что ты Гален Вернер, так?

— Я и есть Гален Вернер, — ответил Гален, не слишком удивленный подобным вызовом.

Райнер скрестил руки на груди:

— Докажи.

— Райнер, не здесь, — произнесла Лизель неожиданно резким голосом. Она прекратила хлопотать и смерила мужа холодным взглядом. — Соседи и так достаточно судачили о нас. — Она взяла Галена за руку. — Входи и выпей чая, Гален, пока Райнер с тобой спорит.

— Спасибо, — с сомнением отозвался юноша.

Райнер посторонился, пропуская незнакомца и жену в дом. Лизель привела юношу в красиво обставленную гостиную и предложила ему стул у очага. В камине потрескивал огонь, масляные лампы мягко освещали помещение. В целом здесь было приятно.

Гален поставил ранец на пол и уселся на предложенное место. Райнер опустился в кресло напротив, почти трон, по-прежнему обшаривая Галена с ног до головы холодными голубыми глазами. Лизель поспешно вышла, вернулась спустя несколько минут с чаем и устроилась на мягком розовом стульчике, рядом с которым стояла корзинка с шитьем.

Неловко удерживая в загрубевшей руке чашку на блюдце тонкого фарфора, Гален мрачно смотрел на дядю. Он ожидал именно такого приема, но, столкнувшись с ним на деле, растерялся. Как доказать что он тот, кто есть? Он никогда не видел этих людей, а мать крайне редко упоминала о своей семье, поскольку родня не одобрила ее замужество.

И тут на него снизошло вдохновение.

— У меня есть отцовское ружье.

Он поставил чай на столик и подошел к своему ранцу. Оружие было тщательно завернуто в холст для защиты от непогоды, как принято во время долгих переходов. Штык в ножнах покоился на дне ранца вместе с порохом и пулями. Гален больше не собирался стрелять.

Оружие было старое, видавшее виды, но тщательно отполированное. Крепкий дубовый приклад выглаживали сначала отцовские руки, потом руки Галена, пока дерево не приобрело зеркальный блеск. И на торце было вырезано имя отца.

Юноша показал Райнеру винтовку и вырезанное имя. Райнер управлялся с оружием умело, но с презрением на лице. Покончив с осмотром, он хрюкнул и вернул ружье Галену.

— Ты мог просто украсть оружие Карла.

— Райнер! — возмутилась Лизель.

— У меня есть еще вот это.

Гален пошарил в ранце, засунув внутрь руку чуть не по плечо, и извлек маленький кошель. В нем лежали обручальные кольца его родителей, простые безликие ободки из золота, а также медальон и распятие, принадлежавшие матери. Гален показал медальон Райнеру и Лизель. На задней крышке были инициалы матери, а внутри две картинки — портрет отца и самого Галена в возрасте восьми лет с маленькой сестрой на руках. На небольшом серебряном распятии сбоку была выгравирована дата конфирмации матери.

Однако, судя по лицу, Райнер все еще считал Галена всего-навсего очень ловким вором. В отчаянии юноша пораскинул мозгами, соображая, как еще подтвердить собственную личность.

— По словам матери, меня назвали в честь ее деда, Галена Хаупта. Он любил пугать вас обеих, тетя Лизель, вытаскивая деревянные зубы и пряча их вам под подушки.

Гален вспомнил еще одну историю и покраснел, но решил все равно пустить ее в ход.

— А вы, сударь, когда только начали ухаживать за тетей Лизель, имели обыкновение прокрадываться на кухню и поедать конфеты, и вы... вы были очень... толстым, — торопливо закончил он. — Мама говорила, она называла вас Пончик Райнер. — Гален положил вещи родителей на столик и отпил глоток чая, старательно не глядя на сурового усатого Райнера Орма.

— Стало быть, ты сын Карла и Ренаты, — произнес Райнер, словно Гален только что появился у него на пороге. Он отставил свою чашку. — Принеси вина, Лизель, что ж ты медлишь? Надо отпраздновать прибытие племянника. — Судя по голосу, идея его не особенно радовала.

— И правда, — воодушевилась Лизель.

Проходя мимо, она чмокнула Галена в щеку.

— Полагаю, тебе следует познакомиться со своей кузиной, — проворчал Райнер. — У нас есть дочь, Ульрика. А сын умер. — Он подошел к двери в гостиную и проревел: — Ульрика, спускайся!

Дочь, хорошенькая стройная девушка лет шестнадцати, с длинными светлыми волосами, появилась одновременно с матерью, сонно моргая.

— Извините. Я читала книгу. — Она улыбнулась Галену и взяла у матери бокал с вином, не спрашивая о поводе.

— Одни книжки на уме, — буркнул отец.

— Это твой кузен Гален, — объяснила Ульрике тетя Лизель. — Он пришел к нам жить. Его родители, моя сестра и ее муж, погибли на войне.

Девичье чело омрачилось.

— Мне так жаль. — Она впервые заметила его синий мундир. — Ты тоже воевал?

— Да, воевал.

— Тебе очень повезло, что тебя не убили.

— Да, очень. — Гален неловко уставился в бокал с вином.

— Тебе не встречался...

Райнер перебил ее тостом:

— За семью! И за семейное дело! — Он высоко поднял бокал, и все присоединились к нему.

После тоста Ульрика снова начала:

— Тебе не встречался некто по имени...

— Ульрика, — снова перебил ее дядя Райнер. — Не надоедай парню. Ты же знаешь, я не желаю слышать разговоров о войне в своем доме.

— Если мое присутствие вас раздражает, я могу уйти, — процедил Гален.

Его глубоко уязвляло показное отвращение к войне у людей, не нюхавших пороха. Иные даже переходили на другую сторону улицы, лишь бы не ступать по одному с ним тротуару. На глазах у него прохожий плюнул при виде искалеченного солдата, просящего милостыню у городских ворот.

— Разумеется, твое присутствие нас не раздражает. — Казалось, подобная мысль искренне удивила Райнера. — Но в этом доме о войне не говорят. Мой сын, Генрих, погиб из-за нее. — Дядя указал бокалом на каминную полку.

Там стоял небольшой овальный портрет, закрытый лоскутом черного шелка. Гален поднял ткань и взглянул на миниатюру. Изображенный на ней молодой человек, ровесник Галена, стоял возле стула в обычной для таких портретов напряженной позе. На нем был темный костюм, волосы тщательно расчесаны, однако художнику удалось уловить искорку озорства в глазах юноши.

— Можешь занять прежнюю комнату Генриха. — Голос тети Лизель прозвучал приглушенно.

Обернувшись, Гален увидел, что она промокает глаза платком, а Ульрика глядит вдаль и все вертит и вертит бокал в руке.

— Спасибо. — Гален откашлялся. — Однако мне неловко становиться вам обузой. Я бы хотел сразу поискать место.

Он ни дня в жизни не бездельничал, и при мысли о праздности его охватывала паника. Даже не чувствуй он себя обязанным дяде, все равно хотел бы поскорее приступить к работе.

— Не знаю, нужна ли вам лишняя пара рук, дядя Райнер?..

Это тревожило юношу едва ли не больше всего остального. Он мог делать что угодно, дай только шанс научиться, но при таком множестве вернувшихся домой солдат на поиски заработка ринется масса людей, не владеющих каким-то ремеслом. Гален умел читать, писать и считать, но на этом его образование заканчивалось, а в большом спросе на людей, способных связать носок за четыре часа, он сомневался.

Но Райнер кивнул:

— С тех пор как Генрих покинул нас, мне нужен человек. Ты вполне подойдешь. Только внимательно смотри под ноги и не наступи на фиалки его величества.

Гален почувствовал, как взметнулись вверх брови. О чем это говорит дядя?

— Сударь, я не совсем уловил...

— Разве ты не знаешь? — хохотнула Ульрика. — Папа у нас главный по придури!

— Что? — не понял Гален.

— Ульрика! — возмутилась тетя Лизель. — Ты не должна так говорить!

Райнер погрозил дочери пальцем:

— Именно королевская так называемая придурь обеспечивает тебя одеждой и едой, не говоря уже о покупке этих книжек, за которыми ты проводишь все свое время. — Он отвернулся от дочери и взглянул на Галена. — Наша семья имеет великую честь служить личными садовниками короля Грегора, — произнес Райнер с нескрываемой гордостью.

Принцесса

Роза, закусив губу, стояла перед отцом. Король Грегор был недоволен. Очень недоволен: на левом виске у него пульсировала вена, а лицо приобрело нехороший багровый оттенок.

— Вот! Вот! Вот! — Он размахивал у дочери перед носом протертой бальной туфелькой, не в состоянии произнести ничего более вразумительного. — Вот!

Одна из сестер хихикнула, и Роза ткнула локтем следующую в ряду — Лилию. Лилия передала толчок дальше, пока он не достиг хохотушки. Скорее всего, это была Мальва. Тринадцатилетнюю Мальву в последнее время смешило решительно все. Почаще бы брала пример с сестры-близнеца: Маргаритка была образцовым ребенком.

— По-твоему, это смешно?! — Король Грегор резко отвернулся от Розы и переключил внимание на Мальву, которая и была той самой хохотушкой, как и подозревала Роза. — Ты находишь это забавным?

— Н-нет, папа, — пролепетала Мальва.

Роза закрыла глаза: «Боже, пошли мне силы!» Мальва заикалась не от страха, а от старания сдержать смех. Черт бы побрал эту девчонку! В их положении действительно нет ничего смешного, а Мальва все равно находит любую возможность проявить легкомыслие.

— Королевство в развалинах! Денег нет! Куда ни глянь — раненые солдаты! — Король Грегор в ярости швырнул туфелькой в стену. — И ночь за ночью вы, девочки, ухитряетесь улизнуть и занимаетесь бог знает чем! И при этом рассчитываете, что я стану и дальше платить за ваши финтифлюшки!

— Нет, папа, — произнесла Роза.

— Что? — Король снова повернулся к старшей дочери. — Не сбегаете, говоришь? Вот она, улика!

Теперь у нее перед носом размахивали другой туфелькой. Розовый атласный башмачок с серебряными лентами принадлежал Орхидее. На носке зияла дырка, а одна из лент болталась на честном слове.

— Нет, папа, — повторила Роза, сохраняя спокойствие. — Я не отрицаю улик. Я только хотела сказать, что тебе не надо платить за наши «финтифлюшки». Мы рассчитаемся за новые туфли сами, из карманных денег.

Остальные девочки застонали, но Розино предложение несколько поумерило гнев короля.

— Ладно! — пропыхтел он. — Хорошо! Все равно при таком состоянии дел в стране вы не дождетесь больших карманных денег.

— Не волнуйся, отец, — торжественно сказала Примула.

Она выступила из шеренги — король настаивал, чтобы принцессы принимали наказание, выстроившись как солдаты, — и протянула отцу руки. Примуле исполнилось всего пятнадцать, но у нее было бледное серьезное лицо и болезненно тонкое аскетичное тело. Она проводила дни в часовне, молясь об искуплении всех их грехов и освобождении. Как ни удивительно, Примула прекрасно танцевала.

Король Грегор не принял протянутых рук дочери. Вместо этого он сердито уставился на нее.

— А ты-то! У тебя больше здравого смысла, чем у них у всех, вместе взятых, — по крайней мере, мне так казалось! Как они тебя на это подбили? — Он стал размахивать туфелькой у нее перед носом. — И как вы вообще выбираетесь из своих комнат? Я лично запираю вас каждую ночь! А? А? Отвечайте! Развожу вас по разным комнатам, а наутро все двери нараспашку, и вы все дрыхнете на ковре в Розиной гостиной, словно куча щенят! Что это такое, а?

Но Примула лишь склонила голову и вернулась в строй. Роза слышала, как сестра вздохнула. Правду она сказать не могла, а лгать не желала категорически.

— Вздыхай сколько угодно, девочка моя, — фыркнул Грегор, но затем смягчился. Большая часть раздражения улетучилась вместе с криком. — А теперь брысь, вы все. Придется вызвать господина Шмидта, пусть сделает новый комплект бальных туфель. Они вам понадобятся: сегодня после полудня прибывает посол Бретони. Но оплату я вычту из ваших карманных денег, так и знайте. Придется, — пробормотал он себе под нос, выходя из зала.

— Бедный отец, — сказала Лилия, когда король уже не мог услышать. — Нынче и так все плохо, а тут еще и с этим бороться...

— Не хочу новые туфли, — буркнула самая младшая, шестилетняя Петуния. — Я хочу покупать конфеты. Я вообще могу танцевать босиком! — И она закружилась по комнате. — Ля, ля-ля, ля!

Семилетняя Фиалка плюхнулась на пол:

— Я тоже не хочу туфли. Не хочу больше танцевать! — И расплакалась.

— Ну, ну! — Лилия бросилась к ней и подхватила девочку на руки.

Блестящие волосы у обеих были одинакового каштанового оттенка, и обе сегодня надели голубые платья. Фиалка любила наряжаться, как любимая старшая сестра.

— Извини, моя сладкая, — вздохнула Роза, гладя Фиалку по спине. — Но ты же знаешь, мы должны танцевать.

— Теперь я не смогу купить себе новые ноты, которые так хотела, — надулась Гортензия. В свои четырнадцать она неплохо играла на фортепиано, а пела просто ангельски. — Вместо этого придется платить за бальные туфли!

— Извини, — машинально повторила Роза.

Казалось, в последние дни она только и делает, что извиняется: за изношенные туфли, за усталость сестер, за бедность страны. А ни в чем из этого она не виновата.

— Извини.

Старшая принцесса ушла, не в силах больше видеть устремленные на нее одиннадцать пар грустных глаз. Она родилась первой, и мать поручила сестер ее заботам, но порой бремя оказывалось слишком тяжким.

Роза прошла по длинной галерее, где они с сестрами перед этим собрались, спустилась по лестнице и через высокие двери вышла в сад матери.

Оказавшись на воле, она остановилась и глубоко вздохнула. Во дворце пахло камнем и краской, людьми и едой и мастикой для полов.

В саду же пахло только цветами и землей.

Ее мать, королева Мод, была родом из Бретони и не любила холодные, суровые вестфалинские зимы. И темно-зеленые хвойные деревья, и лохматые мелкие эдельвейсы, и кусты остролиста, составлявшие дворцовый сад до ее прихода, тоже не любила.

Желая порадовать молодую жену, король Грегор приказал переделать старый сад. Из Бретони вместе с цветами завезли кусты, декоративные деревья, вьющиеся лозы и даже изготовленные там же кованые скамьи и мраморные статуи — лишь бы Мод чувствовала себя как дома.

К сожалению, Бретонь и Вестфалин не могли похвастаться одинаковым климатом. Ласковые дожди и мягкие зимние снега туманной Бретони в Вестфалине превращались в стылую слякоть и метели, а вместо теплого влажного лета стоял такой зной, что многие не самые стойкие растения погибли. Армия садовников трудилась в Саду королевы, ежедневно поливая, пропалывая, подкармливая и обихаживая чайные розы, сирень и плющ.

Вполне естественно, королева нарекала своих дочерей в честь цветов, называя их собственным садом красавиц. Но когда малышке Петунии минуло всего два года, королева Мод умерла. В память о любимой жене король Грегор сохранял сад в точности таким, как при ней.

Это вызывало немалое недовольство среди народа Вестфалина. Королевство воевало уже шесть лет, и не раз случались выступления против барских причуд, к каковым относили Сад королевы. Тратить человеческие и прочие ресурсы на садоводство казалось расточительством, а кое-кто считал смерть королевы достаточным основанием положить конец Грегоровой «придури», как сад называли в обиходе.

Но король Грегор не стал выкапывать женины розы и сажать на их место ячмень. Среди маргариток не росла картошка, а между примулами не торчала морковка. Сад оставался садом для удовольствия, даже когда за стенами дворца удовольствия практически исчезли.

Роза была благодарна за это. Сад не только напоминал ей о ласковой маме, но и дарил столь желанное уединение. Меж живых изгородей вились бесконечные тропинки. Искусно выращенные ползучие розы сплетались в арки над скамьями, куда девушка могла захотеть присесть и подумать не на глазах у сестер, гувернантки и горничных. Среди клумб всегда копошились садовники, но главный садовник Райнер Орм разговорчивостью не отличался и болтунов к себе не нанимал. Его работники уважали частную жизнь королевской семьи и берегли ее покой.

Свернув за угол, Роза наткнулась на одного из помощников садовника. Вальтер Фогель, седой человек с искрящимися голубыми глазами и деревянной ногой, появился у ворот дворца в тот день, когда Роза родилась, спросил работы и со временем сделался такой же неотъемлемой частью дворцовой жизни, как сам король. Вальтер сидел на валуне, пристроив деревянную ногу на здоровом колене и подперев подбородок кулаком.

— Доброе утро, Вальтер.

— Доброе утро, принцесса Роза, — торжественно откликнулся тот. — Как раз присел на минутку поразмыслить о судьбах мира.

— Понимаю.

Девушка чуть улыбнулась: подобные туманные фразы были вполне в духе Вальтера, но ей действительно хотелось побыть одной. Принцесса начала осторожно пробираться мимо.

Старик слез с валуна.

— Но если я не приступлю к стрижке плакучей вишни, мне придется поразмыслить о судьбе моей шкуры. — Он подмигнул принцессе и подобрал с земли секатор.

Роза прижала палец к губам.

— Мастеру Орму ни словечка не скажу, — пообещала она.

— Искреннее спасибо вам, принцесса Роза, — отозвался Вальтер. — Разумеется, мастер-садовник занят обучением новичка. Похоже, его племянник вчера с войны вернулся. Славный молодой человек, но сирени от пиона не отличит.

Девушка сочувственно покивала.

— Они там, — показал большим пальцем старик. — Можете отдохнуть у фонтана с лебедем, принцесса, вместо беседки желтых роз. — Он хорошо знал Розины любимые местечки.

— Спасибо, Вальтер.

Он отсалютовал секатором.

Роза шла по западной тропинке, пока не добралась до лебединого фонтана. Он относился к числу малых, хотя в чаше под огромной статуей птицы можно было купаться. Бронзовая шея лебедя изгибалась над водяными лилиями, клюв едва касался воды. Вокруг фонтана стояли скамейки, и на одной из них Роза любила сидеть и думать. Странные скрипучие крики дворцовых павлинов еле доносились сюда, не нарушая ее тихих размышлений.

Глядя в прозрачную воду, Роза видела собственную копию на отполированном до блеска дне фонтана. К сожалению, мастер Орм и его садовники очень тщательно заботились о поддержании чистоты в чаше. Игра в гляделки с собственным утонувшим двойником тревожила.

Роза заправила за ухо выбившуюся прядь. Она и не подозревала, что у нее такой усталый вид. Ей только-только исполнилось семнадцать, но выглядела она гораздо старше. Девушка поболтала в воде пальцем, разбивая отражение, повернулась спиной к фонтану и оглядела сад.

Еще бы ей не казаться усталой! У нее под крылом одиннадцать младших сестер. Она заняла принадлежавшее матери место официальной хозяйки на всех протокольных приемах, а их в последнее время, после победы над Аналузией, сделалось очень много. Как раз сейчас во дворце находились три иностранных посла, их поили вином и кормили, а они с надеждой подписывали выгодные торговые соглашения.

И почти каждый вечер танцы.

После официальных ужинов всегда танцевали, и она, как принцесса короны, не знала «унизительной» нехватки партнеров. Однако король Грегор полагал избыток веселья вредным для здоровья, поэтому все приемы всегда заканчивались ровно в одиннадцать.

Двенадцати сестрам как раз хватало времени освежиться перед полночным балом.

Роза повернулась обратно к воде и снова нагнулась взглянуть на свое отражение. Интересно, проклятие на лице видно? Усталость — да, усталость определенно читается. Но не оставит ли свою отметину и проклятие — ее проклятие, проклятие ее сестер, проклятие ее матери?

Внезапный хруст гравия на тропинке напугал девушку, она потеряла равновесие и ухнула головой вперед в воду. Однако раскроить череп о дно чаши не успела: сильная рука обхватила ее за талию и выдернула из воды.

— Полегче! Полегче!

Отплевываясь, Роза оказалась снова на любимой скамье, только теперь мокрая насквозь и вдобавок смущенная. Над ней с озабоченным видом стоял высокий, весьма привлекательный молодой человек. Коричневый кафтан садовника был распахнут у ворота, несмотря на осеннюю прохладу, и на шее виднелся рассекающий загорелую кожу тонкий белый шрам. Роза не могла отвести от него глаза, ее снедало любопытство.

— Э-э, барышня?

Это заставило девушку поднять взгляд. Голос незнакомца звучал молодо, но лицо потемнело от долгих часов, проведенных на солнце, а в уголках глаз и возле губ притаилось несколько морщинок. Очень коротко остриженные волосы могли бы виться, если позволить им отрасти.

— Барышня, с вами все в порядке? Я вас напугал?

Роза прекратила таращиться и призвала на помощь королевское достоинство. Разумеется, он ее напугал — не сама же она вдруг, с оздоровительными целями, решила нырнуть в ледяной фонтан! Но принцессе грубость не подобает, поэтому она лишь милостиво кивнула.

— Спасибо вам за помощь, — произнесла Роза, старательно не обращая внимания на капающую с волос и пропитавшую платье холодную воду.

Ее шаль по-прежнему плавала в фонтане, лишь уголком цепляясь за локоть хозяйки.

— Я Гален, — представился молодой человек, подобрал брошенные второпях грабли и протянул девушке свободную руку.

Роза изумленно уставилась на него. Разве он не знает, кто перед ним? Конечно, вестфалинский двор не отличается чопорностью, но ни в одной из известных ей стран принцессы не пожимают рук садовникам. И тут до нее дошло, что этот юноша, скорее всего, и есть новичок, племянник мастера Орма.

— Ой! — Она поднялась, но руки не приняла и объяснила с натянутой улыбкой: — Я — принцесса Роза.

Дальнейшее известно наперед: молодой человек покраснеет, потом примется заикаться, а затем попятится. И в будущем всякий раз, проходя мимо, будет повторять этот неловкий танец.

Он не покраснел, разве что самую малость (или, может, загар скрыл большую часть румянца), и не подумал заикаться и пятиться, а просто поклонился и сказал:

— Приятно познакомиться, ваше высочество. Простите, что не узнал вас.

Теперь настал черед Розы заикаться:

— Все... все в порядке. Ничего страшного... Гален.

— Помочь вам добраться обратно во дворец, ваше высочество? Погода весьма прохладная, а вы изрядно промокли.

— Э... нет, спасибо. — Принцесса вытянула из фонтана шаль и кое-как собрала тяжелую мокрую массу в комок. — Со мной все будет в порядке, спасибо.

Юноша учтиво кивнул:

— Тогда я лучше закончу ровнять гравий.

— Да.

Он по-прежнему смотрел на нее.

— Да? — Теперь она еще больше смутилась и растерялась.

— Если вы позволите мне идти, ваше высочество...

— Что? А! Конечно. — Роза кивнула и, чувствуя себя глупо, сбежала. — До свидания!

Она быстро пошла по тропинке к дворцу, но, когда садовник пропал из виду, замедлила шаг. Давать людям разрешение уйти принцессы не могут, это исключительное право короля.

— Но где он выучился таким изысканным манерам? — удивилась она вслух.

— Что ты сказала, Роза? — Из-за живой изгороди вынырнула Лилия и уставилась на нее. — Почему ты вся мокрая?

— Я не вся мокрая, — раздраженно отозвалась Роза. — Я частично мокрая. Упала в фонтан. Лебединый фонтан. Садовнику пришлось меня из него выуживать и... что ты делаешь?

В руках Лилия держала набитую носовыми платками корзинку. Роза огляделась и поняла, что находится у входа в живой лабиринт. Зябкий ветерок змеился вокруг, шелестел по-осеннему сухими кустами и заставлял ее дрожать.

— А, это все «младший букет».

Так называли трех самых младших сестер — Орхидею, Фиалку и Петунию. Роза, Лилия и Фрезия составляли «старший букет», а шестеро посередине — «средний».

— Они затеяли поиграть в Гензеля и Гретель, вот я и оставляю для них след из платков. Только тряпочки все время сдувает.

— Мы хотели использовать белые камушки, — прощебетала Орхидея, выскакивая из-за угла и пугая Розу. — Но Лилия сказала, что мастер Орм будет ругаться, если мы разбросаем камушки. Как ты думаешь, он будет? Разве это не папины камушки?

— Они хотели взять гальку с главной тропинки, — пояснила Лилия. — Меня больше волновало, как бы камушки не повредили лезвия газонокосилки, когда в следующий раз будут подстригать газон.

— Хорошая мысль, — сказала Роза и чихнула. — О боже, лучше я пойду внутрь.

— Почему ты вся мокрая? — по-совиному заморгала на нее Орхидея.

— Я не вся мокрая, — повторила Роза. — Руку в фонтан сунула.

— А также голову, вторую руку и шаль, — указала Орхидея. — А в какой фонтан? Вода очень холодная?

— Лебединый фонтан, и да, холодная, — ответила Роза сразу на оба вопроса. — Почему бы нам всем не пойти внутрь? Играть на улице слишком холодно.

— Да, мамочка, — закатила глаза Орхидея.

Роза не потрудилась ответить. Она замерзла, промокла, расстроилась из-за... ну, всего, а тут еще и «мамочкой» обозвали! Терпение ее иссякло. Девушка протопала во дворец с шалью в обнимку, оставляя мокрые следы. По дороге в их общую с Лилией и Фрезией комнату пришлось миновать Сирень и близнецов, Мальву с Маргариткой. Все три открыли рот для расспросов, но, внимательно посмотрев Розе в лицо, промолчали.

Старшая принцесса прошествовала в свои покои и захлопнула дверь.

Фрезия расчесывала волосы перед большим зеркалом над туалетным столиком.

— Можно позаимствовать у тебя синюю шаль? Гортензия и Сирень говорят, новый помощник садовника просто красавец, и я хочу сходить посмотреть сама.

Роза швырнула в сестру хлюпающей шалью и забралась в постель, не сняв мокрой одежды.

Больная

Когда прозвенел гонг на ужин, у Розы уже поднималась температура. Она лежала в постели несчастная и кашляла в платок. Лилия заметила торчащие из-под одеяла мокрые волосы и платье сестры, вызвала горничную и насильно заставила Розу вытереться и переодеться в ночную сорочку. Та едва это заметила.

Башмачник принес новые бальные туфли, поскольку знал размеры всех сестер наизусть, но Роза не стала мерить свои и даже не взглянула на них. Бедняга так старался угодить — в конце концов, принцессы были его лучшими клиентами, — поэтому Лилия заверила его от имени Розы, что его мастерство, как всегда, непревзойденно.

Фрезия с готовностью простила старшей сестре инцидент с мокрой шалью, подробно описала ей новые туфельки и затем выбрала для нее желтое платье к ужину.

— Они прекрасно сочетаются, — заверила она, развернув платье на руках так, чтобы Роза могла его видеть.

Роза едва взглянула на платье. Затем чихнула три раза подряд и натянула одеяло на голову.

— Лучше бы я умерла, — простонала она.

В комнату вихрем ворвалась Петуния.

— Ты заболела? — протанцевала она к Розиной кровати и прищурилась на сестру. — Вид у тебя больной. А я не больна. Я никогда не болею. — И она вихрем унеслась прочь.

Подошла Лилия и пощупала Розе лоб.

— Я пошлю за доктором Келлингом, — сказала она обеспокоенно. — Ты вся горишь.

— Мне нельзя болеть. — Роза попыталась выбраться из-под одеяла. — Нельзя. — Но сил не хватило даже сдвинуть тяжелое одеяло с ног, и она со стоном упала обратно на подушки. — Лучше бы я умерла.

Лилия отправила записку королевскому лекарю, а Фрезия убрала новые бальные туфельки и желтое платье старшей сестры. Она так же тревожно хмурилась, как и Лилия. Стоя по обе стороны от Розиной постели, они переглядывались и беспокойно поправляли одеяло.

Другие девочки собрались в дверях, соединявших комнату Розы, Лилии и Фрезии с комнатой, которую делили Примула, Гортензия и близнецы.

Петуния все пыталась вырваться из рук Маргаритки, чтобы потанцевать вокруг Розиной постели и спеть ей. Примула молилась, а Мальва пробормотала вполголоса нечто такое, отчего Сирень ахнула.

— Это что за дела? — Вошедший доктор Келлинг недоуменно оглядел собравшихся. — По-вашему, это поможет? — Он взмахнул рукой, объединяя танцующую Петунию, нависших над кроватью старших и шум, исходящий от Примулы и Мальвы. — Это комната больного или зоосад? Ну-ка брысь, все! — шуганул он сестер. — Да, и следи за языком, Мальва!

Маргаритка собрала младших, Мальва тем временем с удивительной нежностью взяла Примулу за руку и увела ее. Однако Фрезия и Лилия категорически отказались уходить.

— Ладно, — проворчал доктор Келлинг. Он служил придворным врачом уже больше двадцати лет и принимал всех двенадцать принцесс. — Что случилось? — Говоря это, он пощупал Розе пульс, затем лоб и заглянул в горло.

— Она упала в фонтан в саду, — ответила Лилия, поскольку Роза была занята — говорила «а-а» доктору.

— Для купания слишком холодно, вы не находите? — пошутил тот. — Похоже, вы серьезно простудились, дорогая. Лихорадка уж наверняка. Остается только молиться, чтобы она не перешла в воспаление легких.

— Полагаю, Примула уже молится, — слабо улыбнулась Фрезия.

Сквозь закрытую дверь она слышала, как сестра бормочет молитвы да Мальва время от времени шепотом вскрикивает: «Тихо!»

— С постели без моего разрешения не вставать, — кисло улыбнулся доктор Келлинг на шутку Фрезии. — Велю принести вам миску свежих апельсинов из теплицы. Будете съедать по три штуки каждый день минимум неделю. Также оставлю указания на кухне, что вам требуются согревающее питье и успокаивающие чаи от кашля.

— Но танцы... — сказала Роза и на несколько минут зашлась в приступе кашля.

Когда он миновал, у принцессы не осталось сил даже разлепить веки. Она лежала и слушала, как доктор говорит, что ей ни в коем случае нельзя вставать, не говоря уже о танцах.

— Сегодня Лилия посидит рядом с отцом и побудет хозяйкой вечера, — ласково сказал доктор Келлинг, похлопав Розу по белой руке, лежащей на одеяле. — И в ближайшие несколько дней тоже. Но не волнуйтесь. Она вернет вам ваше место, как только вы поправитесь.

— Конечно, — сказала Лилия, но даже не притворилась веселой.

— Уверен, нынче ваш отец отменит танцы из-за вашей болезни, — продолжал доктор, —

чтобы вас не расстраивало сознание того, что ваши сестры веселятся, пока вы лежите больная.

— Спасибо, доктор Келлинг, — прошептала Роза. — Я посплю.

— Вот и умница. — Он погладил ее влажные волосы. — Я расскажу о случившемся вашему отцу и передам указания на кухню. — Тут он перевел взгляд на Фрезию с Лилией. — Вам бы лучше ночевать в другом месте, чтобы самим не подхватить Розину лихорадку. И постарайтесь не пускать младших в комнату к больной. Если вы свалитесь все двенадцать, это можно будет расценивать как эпидемию.

Лилия и Фрезия послушно улыбнулись шутке, и Лилия проводила врача до дверей комнаты.

— Спасибо вам, доктор Келлинг.

Едва закрыв за ним дверь, она подбежала обратно к Розиной постели и взглянула на сестру. Тревога была написана у нее на лице крупными буквами.

— Роза, ты еще не спишь?

— Нет, — отозвалась та и закашлялась. — Дурацкий садовник, выпрыгивает из кустов и пугает людей.

— Роза, — настойчиво повторила Лилия. — Что нам делать? Насчет бала?

Доктор Келлинг неправильно понял Розино беспокойство о танцах. Ее волновал не официальный ужин и обычно сопутствующие ему увеселения. Ей не давало покоя то, что следовало потом, — полночный бал. Тут король Грегор не был властен. Бал нельзя было отменить из-за болезни — только смерть освобождала от него душу, и девочки знали это слишком хорошо.

— Поделать мы ничего не можем. — По Розиной щеке прокатилась слеза и упала на мокрую подушку. — Если я не пойду, он так рассердится.

Она перекатилась на бок и снова натянула одеяло на голову.

Остальные одиннадцать принцесс оделись к ужину и сели за длинный стол с отцом и тремя прибывшими с визитом послами. Девочки весь вечер нервничали и куксились, и король Грегор действительно отменил танцы. В девять сестры поцеловали отца на ночь и поднялись к Розе. Лилия помогла ей сесть и выпить чашку ромашкового чая, заваренного на травах из их собственного сада. Фрезия очистила два апельсина и скормила их больной по дольке.

А затем, в одиннадцать, Лилия и Фрезия помогли Розе вылезти из постели, умыли ее и наложили румяна на бледные щеки и помаду на губы. Они расчесали ее длинные золотисто-каштановые волосы и убрали их в элегантный узел на макушке, украсив его жемчужно-гранатовой тиарой.

Затем помогли сестре надеть желтое платье и новые бальные туфли.

Старшая принцесса шла с большим трудом. Ее знобило от жара, сотрясало кашлем. От каждого приступа перехватывало дыхание, на глаза наворачивались слезы. Лилия и Фрезия поддерживали ее всю дорогу до полночного бала.

Придя наутро будить трех старших принцесс, Мария, их горничная, обнаружила на полу возле кровати Розино желтое бальное платье, а на столике рядом — жемчужно-гранатовые украшения королевы Мод. Роза металась в лихорадочном бреду и бормотала про серебряные деревья и золотые лодки, пересекающие озеро теней. Горничная решила, что принцесса в горячке попыталась одеться к ужину. Мария разбудила остальных девочек и заставила Розу выпить немного прохладной воды, пока ждали доктора Келлинга.

— Не понимаю, — кудахтала добрая женщина, нежно обмывая Розино лицо. — Поразительно уже то, что она сумела достать наряд из шкафа, будучи такой больной. Но как она ухитрилась сносить новую пару туфель?

— Не знаю, — с невинным видом ответила Лилия, заталкивая ногой под кровать собственные дырявые туфли.

И тут Фрезия закашлялась.

План

Принцессы одна за другой подхватывали Розину хворь, и король Грегор приходил в отчаяние. Несмотря на все свои вопли и размахивание руками, он был добродушным человеком и сильно переживал, видя, как страдают его девочки. Вдобавок доктор Келлинг боялся, что Розина простуда переходит в воспаление легких, а это возвращало душераздирающие воспоминания о последней болезни королевы Мод.

В довершение всего загадка сношенных бальных туфель пока не была разрешена. Каждое третье утро, навещая комнаты дочерей, король находил их еще более больными, а около кроватей валялись бальные туфли, стоптанные до дыр. Грегор обвинял горничных, мол, они по ночам таскают у его дочерей туфли и бегают на свидания к ухажерам. Даже выгнал двух, прежде чем домоправительница успела ему указать, что туфли младших девочек никому из слуг не налезут.

Король просил и умолял дочерей рассказать, что происходит, но они отказывались отвечать, жалобно кашляя и глядя пустыми глазами. Он надеялся выдать кого-то из старших за новых союзников в Спании и Ла-Бельже, может, даже загладить посредством брака конфликт с Аналузией. Но теперь все девочки болели (и очень некрасиво, с красными носами и лающим кашлем), а слухи о постоянно снашиваемых туфлях привлекли внимание городских сплетников.

Недобрые вести принес Келлинг. То ли башмачник проболтался, то ли кто-то из слуг, но город захлестнули истории о ночных похождениях принцесс. Поговаривали, будто они заболели из-за танцев с волшебным народцем. Некоторые даже утверждали, что девочки подхватили какой-то неведомый волшебный недуг, который можно исцелить, только танцуя еще больше, чем прежде, или выпив козьего молока в полнолуние, и тому подобные глупости. Иные завистливо перешептывались, что это Бог наказывает короля за войну или за то, что он тратит столько денег и труда на свой дурацкий сад.

Грегор уронил голову на руки.

— Что мне делать, Вильгельм? — простонал он.

Доктор Келлинг поставил саквояж на королевский письменный стол и уселся в большое кожаное кресло напротив короля. Отец его служил премьер-министром в правление Грегорова отца, и мальчики росли вместе. Они бок о бок служили в армии, женились в один год и практически одновременно овдовели.

Чувствуя себя почти таким же измученным, как дочери, Грегор откинулся на спинку высокого кожаного кресла. Он словно заново наблюдал, как угасает его Мод. Он обещал ей как следует заботиться об их девочках, но она, похоже, ему не верила. Глаза ее под конец переполняло отчаяние. Вчера вечером, навещая Розу, он поймал такой же взгляд. Но почему? Если бы только они раскрыли ему корень проблемы, он бы его уничтожил. Но ответом на все расспросы были молчание, слезы и безнадежность.

— Вильгельм, я...

Голос короля затих. Он не знал, что сказать, что предпринять. Когда война с Аналузией сделалась неизбежной, он принял решение, казавшееся в тот момент наилучшим, и в итоге они победили. Но как победить, если не знаешь, с кем сражаешься?

Доктор Келлинг подался вперед:

— Надо докопаться до сути, Грегор. Спрашивать их бесполезно — они не могут или не хотят сказать. Я не из тех, кто верит в россказни о волшебном народце и всем таком, ты меня знаешь. Но сдается мне, что-то здесь очень и очень не так. Это нечто большее, нежели легкомыслие юности и любовь к танцам. — Он фыркнул. — Чего, кстати, не наблюдается. Бедная крошка Фиалка, пока ее трепала лихорадка, все всхлипывала, что хочет перестать танцевать. Одному богу ведомо, почему они продолжают это делать. Мод была славной женщиной, но мы оба знаем, что наряду с любовью к розам она принесла из Бретони кое-какие экстравагантные идеи.

— Что ты говоришь? — Король Грегор в замешательстве помотал головой. — По-твоему, Мод имеет к этому какое-то отношение?

— Н-нет, но... — Доктор Келлинг потер лицо ладонями. — Не знаю, Грегор. Наверное, я просто устал. — Он тяжело вздохнул. — Но Роза слабеет с каждым днем. Я знаю, ты пытался разделять девочек на ночь, но их кто-нибудь сторожил? Или следил, куда они ходят?

У Грегора поникли плечи.

— Я хочу доверять своим дочерям. Я и так чувствую себя тюремщиком, запирая их на ночь. Неужели до этого дошло?

— Дошло, если мы хотим, чтобы Роза поправилась, — мягко сказал доктор Келлинг. — Сегодня третья ночь с момента их последнего...

исчезновения. Раздельные комнаты, окна и двери накрепко заперты. Стража в коридоре.

В молчании они прикончили графин бренди и выкурили немало прекрасных сигар. Наконец король Грегор вздохнул, затушил последнюю и кивнул:

— Ладно. Послы уже переехали в свои особняки в городе. Это освобождает все спальни на третьем этаже. Ты останешься на ночь на случай, если понадобишься девочкам? — спросил король.

— Конечно.

Садовник

Гален сидел на большом валуне и вязал носки. Ну, всего один носок. Первый он закончил накануне вечером и надеялся управиться со вторым к завтрашнему дню. Носки, в которых он пришел с войны, настолько износились, что просто рассыпались в прах, когда тетушка попыталась их постирать, и последние несколько недель он мастерил им замену.

Добросердечная тетя Лизель предложила связать ему новые носки, но Гален вежливо отказался. По правде говоря, из всех приобретенных за время войны навыков только вязание доставляло ему удовольствие. Было нечто завораживающее в том, как петля за петлей переходят со спицы на спицу. К тому же это занятие рождало у него гордость созидания, противоположного разрушению и стрельбе в людей.

Его кузину Ульрику вид вяжущего мужчины приводил в восторг.

— Кто бы мог подумать, что мужчина, к тому же солдат, станет этим заниматься? — восхищалась она.

— Многие солдаты так делают, — сказал в ответ Гален. — Когда наступает зима, на поле боя нет иного способа получить новые носки или шарф.

— Но и я, и все мои подруги вязали бесконечные носки и шарфы, — возразила тетушка Лизель. — И шапки с варежками. Мы их ящиками в армию отсылали! Ульрика за прошлую зиму связала девять шапок. Правда же, милая?

Гален покачал головой:

— Простите, тетушка. Они где-то заблудились, или их все-таки не хватало. Я в жизни не надел носка, связанного не матерью или не мной самим.

— Ну, теперь о твоих носках и шапках можем позаботиться мы, — заверила его тетушка.

Однако Гален не мог сидеть без дела. Он слишком много лет вязал носки, или начищал оружие, или ставил лагерь. Поэтому каждый день вместе со щедрым обедом от тетушки он совал в сумку спицы и шерсть.

— Что ты делаешь, парень? — Дядя Райнер подошел по тропинке и остановился, нахмурившись, перед валуном, на котором устроился племянник.

Очевидный ответ был «вяжу», но Гален знал, что дядя вряд ли сочтет его забавным.

— Жду, пока Вальтер принесет мульчу для этой клумбы, — отозвался юноша, для ясности указывая на клумбу острой спицей. — Я предлагал помощь, но он настоял, что сделает это сам.

Вальтер Фогель взялся за Галена с первого дня, обучая его пользоваться различными садовыми инструментами и заставляя запоминать названия и происхождение растений, за которыми они ухаживали. В подчинении у Райнера Орма трудилась почти дюжина садовников, и все по-разному смотрели на свою работу в «королевской придури»: одни считали ее позором, другие — привилегией. В любом случае, к новичку отнеслись недружелюбно. Многие выбрали работу в садах, чтобы избежать отправки на фронт, и вид простого мальчишки, который сражался, пока они подреза́ли кусты, вызывал у них неловкость. Поэтому Вальтер сделал Галена личным помощником, а Гален обращал на других садовников не больше внимания, чем они на него.

Они с Вальтером уже обре́зали уснувшие на зиму цветочные кусты до земли и готовились укрыть их корни мульчей для защиты от холода. Раньше Гален полагал, что садоводство, как и земледелие, во многом зависит от удачи: ты что-то сажаешь, поливаешь и надеешься, что оно вырастет.

Однако теперь ему открылся загадочный новый мир. Мир прореживания, мульчирования, подвязывания, прививки и обрезки — словно строишь укрепления против вражеских захватчиков. Стволы деревьев и целые кусты на зиму обматывали полосами мешковины. Корни ирисов, или «клубнелуковицы», весьма напоминавшие усохшую морковку, выкапывали, разделяли, а затем снова высаживали.

Кротам, мышам и другим паразитам путь в Сад королевы был заказан — второй обязанностью садовников было уничтожать непрошеных гостей, тщательно высматривая любые признаки подкапывания или обкусывания. Вальтер держал пару такс, и они бродили по саду, зорко высматривали просочившихся врагов влажными карими глазами. Их резкий лай при обнаружении жертвы перекрывал скрипучие вопли павлинов.

Наконец Вальтер, прихрамывая, вышел из-за угла с полной тачкой. Гален засунул вязанье в холщовый мешок и спрыгнул с валуна. Под присмотром недреманного ока Райнера они вдвоем старательно положили слой жирной черной мульчи поверх пеньков шток-роз. Гален в своем усердии взял на лопату слишком много, и комок мульчи упал на побуревшую траву.

— Сад надо подготовить к зиме, — изрек Райнер. — Но... — дядя наставительно поднял палец, — он должен по-прежнему радовать глаз.

— Да, сударь, — отозвался юноша, разминая комок пальцами и рассыпая его по клумбе.

— На эту зиму мы ждем очень важных гостей. Гостей королевской крови.

Гален и Вальтер резко вскинули головы, но вопрос задал юноша:

— Опять неспокойно? Аналузия?

— Нет, парень, ничего подобного, — поспешил ободрить их Райнер. Никто не хотел новой войны. — Будут приезжать и уезжать послы, и мне сказали, что принцессы тоже станут принимать гостей.

— Король подумывает о политическом браке? — задумчиво потер подбородок Вальтер. — Скорее всего, для Розы, она ведь старшая. — Лицо его затуманилось. — Разумеется, она сейчас и болеет тяжелее всех, бедная девочка. А есть еще и другие беды... — Он увидел, как смотрят на него Гален и Райнер, и осекся. — Извините, заболтался.

— Принцесса Роза больна?

То-то Гален удивлялся, что не встречает никого из принцесс в саду с тех пор, как старшая свалилась в фонтан. Его захлестнуло чувство вины. Она бы не упала, не напугай он ее, но, увидев ее там, увидев ее обращенное к бронзовому лебедю белое лицо, он почему-то вспомнил о старухе и ее странных дарах.

— Очень больна, и остальные тоже. В Бруке поговаривают, будто...

— Вальтер, Гален, — натянуто произнес Райнер, — мы не говорим о королевской семье таким фамильярным тоном. — Но когда он гордо удалялся, они расслышали недовольное бормотание: — Юные дамы отбились от рук, танцуют ночи напролет у себя в покоях...

Гален переглянулся с Вальтером. Когда дядюшка уже не мог его слышать, он сменил лопату на грабли.

— Танцуют ночи напролет у себя в покоях?

— Ты, наверное, единственный человек в Бруке, до кого не дошла эта сплетня, — отозвался Вальтер.

Некоторое время они работали в молчании, а затем старик сказал:

— Наутро после каждой третьей ночи девушки выходят из своих покоев вымотанными, а их бальные туфли оказываются стертыми до дыр. Доктор Келлинг, королевский врач, говорит, что в этом и кроется причина их затяжной болезни.

— Но я не понимаю. Если они больны, почему всю ночь пляшут? Или они выскальзывают наружу для встреч с поклонниками? Неужели стража не в силах за ними проследить?

Смешно было представлять королевских дочерей, вылезающих по ночам из окон и наряженных при этом в бальные платья и туфли, но случаются и более странные вещи, полагал Гален.

— Часовые у дверей покоев, горничные внутри, и никто ничего не видит и не слышит, — покачал головой Вальтер. — Хотя, как я понимаю, прошлой ночью были предприняты дополнительные шаги. — Он нахмурился. — Если они удержат принцесс в постелях, я порадуюсь вдвойне.

— Как так?

Но Райнер прислал им на подмогу еще одного младшего садовника, и Вальтер ничего не стал говорить в присутствии постороннего.

Все время, пока они занимались распределением черной мульчи, Гален думал о принцессе Розе. Она болела, скорее всего, из-за невольного купания в день их знакомства, и при этом что-то заставляло ее танцевать ночь за ночью. Как она вообще сможет отдохнуть и поправиться?

Чувство вины еще больше усилилось позже в тот же день, когда Галену велели убрать опавшие листья из лебединого фонтана и разровнять гравий вокруг его основания. Однако к заданию он приступил охотно. Вальтер поведал ему, что это одно из любимых местечек принцессы Розы, и Гален решил поддерживать его красоту ради нее. Разумеется, с похолоданием и все более ранними закатами, скорее всего, пройдет довольно много времени, прежде чем захворавшая принцесса сможет навестить свой любимый уголок.

Когда Гален закончил, уже почти стемнело, и он медленно двинулся к дальнему сараю для инвентаря, чтобы вернуть на место грабли. Он кивнул другим садовникам и взял фонарь, чтобы осветить себе дорогу до дома. Дядя Райнер задерживался во дворце. Они с королем Грегором выводили новые сорта роз в теплице на восточном краю сада, и в те дни, когда у короля не хватало времени проверить, как они развиваются, главный садовник докладывал ему лично.

Вальтер стоял как раз у дверей сарая, на его морщинистом лице читалась тревога. В одной руке он небрежно держал фонарь, и Галену показалось, что старик его вот-вот выронит.

— Вальтер, тебе нехорошо? — Гален забрал у него светильник.

— Еще одни врата открылись, — хрипло произнес Вальтер. — Я чувствую.

— Какие врата? — До дворцовых ворот от сарая было пятнадцать минут ходу. — Как ты это чувствуешь?

— Назад, в сарай! — скомандовал Вальтер.

Еще один садовник только что вышел из сарая с собственным фонарем.

— Все внутрь! Назад!

С внезапной лихорадочностью одноногий старик принялся заталкивать работников обратно. Он захлопнул за ними дверь и заложил засов снаружи.

— Что за черт? — Якоб, помогавший сегодня Галену с Вальтером, уставился на юношу. — Он спятил?

Гален почувствовал, как у него зашевелились волосы на затылке. Набиравший силу ветер сотрясал крохотное окошко сарая, и молодой человек слышал, как воют вдалеке собаки.

— Что-то не так. — Гален поставил оба фонаря на верстак, подошел к окну и распахнул его настежь. — Вальтер! Что происходит?

Ветер ворвался внутрь, забил слова обратно в горло и едва не сшиб юношу с ног. Гален отшатнулся. Обычно бесстрашные таксы Вальтера жались друг к другу на своей лежанке в углу и скулили.

Окно было чуть шире его плеч, но Гален ухватился за подоконник и выбрался наружу. Он зацепился пряжкой ремня за раму и в итоге приземлился плечом на клумбу. Быстро перекатился, вскочил и стряхнул грязь.

— Вальтер?

— Гален! — Старик, хромая, вышел из-за угла. — Оставайся внутри!

— Нет, скажи, что происходит!

В темноте Гален еле разглядел, как Вальтер покачал головой.

— Некогда, некогда! Возьми. — И он вдавил Галену в ладонь хлыст. — Рябина — лучшее, что можно найти в трудную минуту.

— Для чего? Для бури?

Ветер трепал сад, и Гален с отчаянием подумал, сколько листьев ему придется выгребать утром из лебединого фонтана. Как ни странно, пахло не дождем или снегом (хотя и то и другое вполне естественно в это время года), а камнем и плесенью.

— Это не буря, — ровным тоном произнес Вальтер. — Ты знаешь, куда выходят окна гостиной принцесс?

— На южную сторону? Туда, где лабиринт из живой изгороди?

Готовность, с какой он обнаружил свое знание, заставила Галена покраснеть. Он не пытался подглядывать за принцессами, но видел их в этих окнах чаще, чем в других.

— Верно. Скорей!

Вальтер поспешил куда-то, причем с такой скоростью, какую Гален не мог предположить у человека с деревянной ногой. Юноша вскоре перешел на бег, чтобы не отстать. Преодолевая напор ветра, они обогнули лабиринт по широкой дуге и вышли на ровный газон с южной стороны дворца.

Все окна ярко светились, и Гален разглядел в них встревоженные лица. Слуги не понимали, откуда взялась внезапная буря. Гостиная принцесс находилась на третьем этаже, и Гален разглядел там движение.

Но тут его внимание привлек звук, буквально рассекший шум ветра. Глухой вой, какого Гален не слышал ни от одной собаки. Странные крадущиеся фигуры выползали из живого лабиринта, из-за фонтана в виде русалки, из-за угла дворца. Они походили на высоких сутулых людей.

— Эй, вы, там! — окликнул Гален, но слова его унесло очередным порывом ветра. — Эй!

— Гален! — крикнул Вальтер.

Одна из фигур бросилась на юношу. Он вскинул хлыст как раз вовремя и ударил нападающего по лицу. Донесся неожиданно человеческий крик, и горбатая фигура упала. Однако другие продолжали напирать, и Гален с Вальтером изо всех сил работали хлыстами.

— Стой!

Юношу охватила паника: одна из фигур обошла их и пыталась взобраться наверх по плющу на дворцовой стене. Плющ рос до самых окон гостиной и выдержал бы, пожалуй, только ребенка, но эти... существа были тощими и казались почти бесплотными.

— Стой, я сказал! — Гален бросился за наглецом и полоснул его хлыстом по спине.

Над ними распахнулось окно. Одна из принцесс перегнулась через подоконник, волосы ее развевались на ветру.

— Я вижу тебя, Рионин! — крикнула она хрипло и содрогнулась в приступе кашля. — Я тебя вижу! — Это была Роза. — Уходи и скажи ему, что мы придем.

Снова кашель, и в окне появилась еще одна девушка.

Гален услышал знакомый щелчок и застыл. Вторая принцесса только что взвела курок. В свете восходящей луны он видел оружие в ее руке, направленное прямо на тень, которую Роза назвала Рионином.

— Он добился своего, — произнесла вторая принцесса дрожащим голосом.

Рионин протянул вверх руку.

Гален ударил хлыстом одновременно с выстрелом. Пуля прошла у них над головой и зарылась в газон, но юноша понял, что принцесса не собиралась застрелить этого типа — только предупредить.

Фигуры начали отступать, растворяясь в темноте. Рионин зашипел на Галена и поковылял прочь, горбясь в лунном свете. От спины его, от того места, куда пришелся удар молодого садовника, шел дым.

Прихромал Вальтер и окликнул девушек в окне:

— Ваши высочества, с вами все в порядке?

— Да, спасибо, Вальтер. — Вторая принцесса опустила пистолет, рука у нее дрожала.

— Осторожно с этим! — вскрикнул Гален.

— Ее хорошо учили, — заверил его Вальтер. — Давайте-ка ложитесь обратно, ваши высочества, — крикнул он в окно.

— Но только на пару часов, — ответила Роза, сползая по оконной раме. — Нам придется идти сегодня, а ведь еще даже не третья ночь.

— Я знаю, — тихо отозвался Вальтер.

Ветер улегся, и в наступившей тишине слова старика прозвучали очень ясно.

Сестра Розы втянула ее внутрь, и они закрыли окно на задвижку. Теперь во дворце и снаружи слышались крики и вопли.

— Вальтер, что это сейчас было? — Голос Галена дрожал, но ему было все равно; по коже все еще бегали мурашки, по спине струился холодный пот.

— Чем меньше ты знаешь, тем лучше для тебя, — отозвался Вальтер и отбросил хлыст. — Завтра приберешь тут как следует, — проворчал он. — Тебе хватит лунного света, чтобы добраться до дома?

— Н-наверное.

— Спокойной ночи, Гален.

И старик похромал прочь, а юноша остался один с тошнотой в животе и рябиновым хлыстом в руке, озаренный светом луны.

Решение

— Там... у Мод в саду были... твари. — Дрожащей рукой король Грегор дотянулся до графина с бренди, но потрясение мешало разлить напиток по бокалам. Он отодвинулся и стиснул подлокотники кожаного кабинетного кресла. — Ты видел их, Вильгельм.

— Да уж, видел, — мрачно согласился доктор Келлинг.

— Твари? — Шелкер, епископ Брукский, перевел изумленный взгляд с Грегора на Келлинга и обратно. — В смысле, дикие животные?

У короля хватило сил только покачать головой, а доктор Келлинг взял графин и налил всем поровну.

— Люди, — пояснил он, — или, вероятно, призраки. Пробрались к принцессам под окна, дабы передать послание, содержание коего никто из девочек не открывает.

— Именно! — вырвалось у короля Грегора. — Ох уж эти девчонки! Ни слова о случившемся! Туфли наутро опять протерты до дыр, а Роза и Маргаритка от слабости не могут встать с постели. Однако умоляют переселить их обратно в прежние покои, а стражу убрать. — Король прикрыл глаза. — Разумеется, я так и сделал. Как я могу им отказать, когда Роза так бледна и измучена и при этом так просит? Что мне делать, Вильгельм? Епископ? А? Что-то здесь не так, очень не так.

— Согласен, — тихо откликнулся Шелкер. — Нежелание принцесс говорить об этом, хотя они явно не наслаждаются своими «полночными гулянками», ясно указывает на то, что они занимаются этим против воли. — Он прищелкнул языком. — Жаль, что ты мне раньше об этом не рассказал, Грегор.

Король открыл глаза и уставился на собственные руки.

— Я не хотел, чтобы ты писал архиепископу, но теперь, боюсь, нам придется это сделать. Тут явно замешано колдовство, и его надо остановить, прежде чем мои девочки кончат как... — Он резко втянул воздух и печально завершил фразу: — Как Мод.

— Но подумай, Грегор, — нерешительно заметил доктор Келлинг, — если все началось с Мод, хотим ли мы, чтобы люди архиепископа совали нос в это дело? — Встретив потрясенный взгляд короля Грегора и увидев обиду на лице епископа, доктор прикусил язык. — Извини, Шелкер, — сокрушенно пробормотал он.

— Возможно, ты удивишься, Вильгельм, но я с тобой согласен, — мягко проговорил священник. — Мы знакомы слишком долго, чтобы ты подумал, будто я побегу прямо к архиепископу при первых намеках на нечто... странное. В данном случае лучше, если в этом будем разбираться мы — те, кто любит принцесс.

— Но как? Что мне делать? — Взгляд короля упал на письмо на столе. — Луи Спанский посылает сюда старшего сына с официальным визитом, — пробормотал он. — Надо отписать ему, чтобы не приезжал. Скажу, мол, из-за болезни девочек.

Доктор Келлинг, прищурившись, взглянул на письмо.

— Секунду, Грегор. Возможно, для разрешения этой загадки тебе стоит поискать постороннюю помощь.

Король, уже протянувший руку за листом чистой бумаги, замер:

— Чьей же?

Епископ Шелкер заинтригованно поднял брови.

Доктор откинулся на спинку кресла:

— А если не отменять визит спанского принца?

— К чему ты клонишь?

— Пусть приезжает. Меня больше всех беспокоит Роза. Пусть этот принц приедет и попробует выяснить, куда принцессы ходят по ночам. Если сумеет, то сможет... сможет жениться на одной из них.

Король Грегор возмутился:

— Мои дочери — не призы в каком-то дурацком конкурсе!

Доктор Келлинг вскинул косматую бровь:

— Ну же! Тебе известно, что Спания посылает своего принца исключительно в надежде, что он влюбится в одну из твоих девочек. Им любопытно, сколько приданого ты можешь предложить, а тебе интересно, какие торговые соглашения они готовы подписать. Вполне можно занять мальчика чем-нибудь, пока вы с его отцом договариваетесь.

Шелкер одобрительно хохотнул и посмотрел на короля, ожидая его реакции.

Король Грегор побагровел:

— Но... но... но это же скандал! Что мы станем делать, если эти странные дела отпугнут его? Я не хочу, чтобы девочки расстроились, отвергнутые каким-то спанским дураком!

— Ерунда! — отмахнулся доктор Келлинг. — Если ореол тайны не добавит принцессам привлекательности в глазах юноши, я съем собственную шляпу. И мы не можем заранее утверждать, что парень дурак: по имеющимся сведениям, он совершенно неотразим. Я лично отошлю его, если это не сработает. Он не захочет, чтобы его имя было замешано в скандале. Готов спорить, он ни словом не обмолвится о происходящем, лишь бы избежать огласки. Уж я потружусь внушить ему эту мысль, когда... если... нам придется распрощаться с ним.

Шелкер кивнул:

— Подумай над этим, Грегор. Твои дочери заслуживают мужей, способных распутать небольшую интригу и встретиться лицом к лицу со «странными делами», как ты это называешь. А нам будет проще здраво оценить характер молодого человека — его реакция скажет о многом.

Король Грегор долго сидел напротив старых друзей, прокручивая беседу в голове.

— Как мы ему это преподнесем?

— Скажем, что девушки каждую ночь тайком сбегают танцевать, как будто это забава такая. Ни слова о колдовстве и чудищах в саду. Если он сумеет выяснить, куда они ходят, то выкажет себя достойным претендентом на трон.

— Трон! — Король снова покраснел. — Теперь я уже должен отдать мой трон какому-то заморскому принцу?!

— Грегор, — терпеливо произнес епископ Шелкер, — у тебя ни сыновей, ни племянников. Ты всегда говорил, что назначишь своим преемником супруга одной из дочерей. Сделай это условием наследования. Тот, кто окажется способен разгадать загадку, станет хорошим королем.

Грегор медленно кивнул:

— Неплохой способ подыскать преемника. И положить конец мучениям девочек.

— Разрешишь спанскому принцу приехать? — выпрямился в кресле Келлинг.

— Разрешу.

Спания

Гален узнал о приглашении спанского принца от принцессы Мальвы. Наделенная сильной волей, Мальва первой из принцесс полностью оправилась от болезни и начала выходить на прогулку в сад спустя несколько дней после вторжения Рионина и его спутников-теней на территорию дворца.

Она тут же разыскала Галена.

— Стало быть, это вы новый младший садовник, — заявила она, обнаружив его за укутыванием ствола плакучей вишни полосами мешковины. — Гален.

Юноша выпрямился и поклонился:

— Так и есть, ваше высочество. Могу ли я для вас что-нибудь сделать?

Она смотрела на него из-под отороченного мехом капюшона. Зима вступала в свои права, и принцессу кутали так, что она еле могла двигаться. Разглядывая Галена, она размотала не меньше двух шарфов и бросила их на ближайшую скамью.

— Они кусачие, — объяснила она. — А вы правда были солдатом?

— Да, ваше высочество.

Гален не хотел говорить о войне с такой юной девушкой и бросил взгляд на «древесные бинты», пытаясь намекнуть, что ему надо продолжать работу.

— И вы действительно выступили против Ри... э... людей... которые забрались в сад несколько ночей назад, с одним лишь хлыстом?

— Да, хотя идея с хлыстами принадлежала Вальтеру Фогелю. Он был там со мной.

Ему показалось занятным, что Мальва проявляет скорее любопытство, нежели страх по поводу событий той ночи. Но Роза и другая принцесса, стрелявшая из пистолета, — Вальтер сказал ему, что это вторая по старшинству, Лилия, — были в полном ужасе.

— Вальтер душка, но такой странный, — заметила Мальва. — Так что неудивительно. А каково ваше мнение об этих существах?

— Я... я толком не знаю, ваше высочество. Они были очень... я никогда не видел ничего похожего. Я принял их за людей, но потом они просто растаяли в воздухе.

Принцесса уцепилась за его описание:

— Словно их на самом деле не было? Словно они были иллюзией?

Она ждала ответа с нетерпением и почти... надеждой.

— Иллюзией они не были, — сказал Гален. — Хлысты сталкивались с плотью. У одного, которого я ударил по лицу, кровь пошла. А второй, что пытался залезть по плющу, чтобы добраться до ваших окон, явно почувствовал хлыст на своей спине. Я рассек ему одежду, и мне показалось...

Он остановился. Она смотрела жадно, но все же была слишком юной, и не хотелось ее пугать.

— Что вам показалось?

— Мне показалось, что раны дымились, ваше высочество.

Он внимательно наблюдал за ее реакцией, но, пожалуй, единственным чувством, отразившимся на лице Мальвы, было разочарование.

— Значит, они и правда могут приходить сюда, — проговорила она негромко.

Гален заглянул ей в лицо. Под глазами у девушки залегли темные круги, щеки оставались бледными, несмотря на холод, от которого у самого Галена покраснел загорелый нос. Его дядя отнюдь не поощрял какие бы то ни было контакты между младшими садовниками и королевской семьей, но Райнер находился в дальнем конце сада, работал в теплицах.

— Принцесса Мальва, — сказал Гален, отбросив полосы мешковины и шагнув к ней. — Кто они такие? Почему они пришли сюда?

Она подняла глубокие синие глаза. На самом деле они были фиолетовыми и потемнели от чувства, способности к которому Гален в ней и не подозревал, учитывая ее прежний дразнящий тон.

— Они приходили предупредить нас.

— О чем предупредить?

— Что мы не свободны. — У нее вырвался не по возрасту горький смешок. — А что они такое? Они — твари, которые таятся под любым булыжником. Под камнем. — Новый смешок. — Мне надо вернуться, пока меня не хватились. Мы ожидаем сегодня к ужину очень важного гостя. — Дразнящий тон вернулся, и она похлопала на Галена ресницами. — Принца Фернана Спанского! Разве это не честь для нас?

— Уверен, он очень красив, — произнес Гален, выдавив улыбку.

Его по-прежнему волновали ее слова насчет несвободы. И что она имела в виду, говоря, что непрошеные гости таятся «под камнем»?

— Но умен ли он? Вот в чем настоящий вопрос, — эхом отозвалась Мальва. — Хватит ли у него ума вызнать все наши тайны? Если да, то он женится на одной из нас, понимаете? И станет королем, когда папа умрет.

Галена это потрясло едва ли не больше, чем все сказанное ею прежде.

— То есть?

— Папа нам только что сказал. — Тон принцессы был по-прежнему легок, но Гален уловил скрытую резкость. — Если Фернан сумеет выяснить, почему мы снашиваем наши бальные туфли за ночь — уже восемь ночей подряд, — то получит право выбрать одну из нас в жены и однажды станет королем.

— А если не выяснит?

— Тогда папа пригласит другого принца, и еще одного, и еще, пока у одного из них не получится!

В ее голосе послышались истерические нотки, и она рассмеялась, но Гален видел слезы в фиолетово-синих глазах.

— Ваше высочество, — начал он беспомощно, затем просто покачал головой.

Кто он такой, чтобы обещать ей, что все будет хорошо? Он и предположить не мог, какова ее жизнь. Поэтому просто взял ее за руку и повел по саду.

— Гален! — Дядя Райнер вышел из розовой теплицы, как раз когда они проходили мимо, и резко остановился при виде племянника и его спутницы. Он поклонился. — Ваше высочество, пожалуйста, простите юному Галену его прямолинейность. — Он сердито уставился на племянника.

— Господин Орм, — кивнула ему Мальва, — ваш племянник помогает мне вернуться во дворец. Я не так здорова, как мне казалось.

Райнер Орм фыркнул себе в усы, но ничего не сказал. Он снова поклонился Мальве, и Гален с юной принцессой двинулись прочь.

— По-моему, он на меня рассердился, — едва разжимая губы, прошептал Гален.

— Но поделать ничего не сможет, — заметила Мальва. — В конце концов, я же принцесса.

— И я крайне польщен возможностью оказаться вам полезным, ваше высочество, — произнес юноша с улыбкой.

Мальва рассмеялась.

— Роза бы извелась от ревности, если бы нас увидела, — сказала она, глядя на Галена из-под ресниц. — Она считает вас красивым.

Гален замер как вкопанный. Теперь под загаром покраснел не только нос, но и щеки.

— Но мы никогда... я только... у фонтана...

— После полудня она сидит у окна в надежде получить хоть немного солнца. И наблюдает, как вы работаете. И вы ей показались таким сильным и храбрым, когда стояли в лунном свете с хлыстом в руке в ту ночь. — Вредная девчонка захихикала над смущением Галена.

Юноша опасливо взглянул на собеседницу. Он понимал, что она просто дразнится, но как можно дразниться правдой? Неужели принцесса Роза смотрела на него? Он бросил взгляд на дворцовые окна, но отблеск слабого зимнего солнца на стеклах не позволял разглядеть, есть ли кто за ними.

— Разумеется, она меня убьет за то, что я вам рассказала, — весело добавила Мальва.

— Конечно, я ей не скажу, — лихорадочно заверил Гален.

— Я и не думала, что скажете. — Принцесса снова рассмеялась. — Ой, смотрите, принц Фернан уже здесь. — Она скорчила рожицу.

Кто-то распахивал окна по всей восточной стороне дворца, недалеко от покоев принцесс. Гален и Мальва явственно слышали приказания, выкрикиваемые на спанском, и видели снующих туда-сюда слуг.

— Ну, голос вроде приятный, — сухо заметила Мальва.

— Уверен, у него много других превосходных... качеств, — выдавил Гален.

На деле он не понимал до конца, как относится к спанскому принцу. Спания была союзником Вестфалина во время войны, и Галену довелось сражаться рядом с некоторыми частями спанцев. Они ему не особенно понравились: слишком заботились о чистоте мундиров. Вестфалинцы питали куда большую склонность к драке без правил и куда меньшую — к порядку. Гален гадал, как понравится спанскому принцу править таким народом.

Он проводил Мальву до выходивших в сад широких раздвижных дверей. Тут же выбежала горничная, отчитала юную девицу и утащила внутрь. Гален на миг смутился, надеясь, что горничная не сочтет его нахалом за прогулку с принцессой. Но вместо этого прислуга поблагодарила юношу за то, что нашел и привел ее сбежавшую подопечную. Гален вернулся к работе, успокоенный на сей счет, но не насчет принца.

И состязания за руку одной из принцесс.

Об этом беспокоиться не стоило. Спустя неделю спанский принц уехал с пустыми руками и в ярости. Один из садовников, который ухаживал за горничной, поведал Галену и Вальтеру, что принц провел несколько ночей в зале рядом с покоями принцесс, одну ночь проторчал под окнами в саду и даже был допущен провести ночь в гостиной, куда выходили спальни их высочеств. Он ничего не слышал и не видел, однако их туфли каждое утро оказывались сношенными, а сами они — усталыми, как всегда.

Гален с Вальтером наблюдали за отъездом Фернана. Принц отличался исключительным щегольством и, следя за погрузкой своих многочисленных чемоданов в багажный фургон, с чувством размахивал руками и ругался на спанского посла, явившегося его проводить. Кружевные манжеты принца порхали, но густо напомаженные и изящно уложенные волосы держались словно приклеенные, как он ни бушевал.

— Слишком гордый, — прокомментировал Вальтер.

Гален подпрыгнул: они долго стояли молча, и он почти забыл о присутствии старого садовника.

— То есть?

— Этот молодой человек слишком горд. Он проходил по саду несколько дней назад, и я думал дать ему кое-какой совет, поделиться мудростью, так сказать. Но он оказался слишком заносчивым и не стал слушать.

— Понимаю, — искоса взглянул на Вальтера юноша. — А какой совет вы пытались ему дать?

— Совет, который я дал бы ему, разительно отличается от того, какой я дал бы тебе, — загадочно ответил Вальтер. — Его не так... благословили... как тебя. — И с этими словами старик похромал прочь.

Тряхнув головой, Гален переключил внимание обратно на двор.

Заметив наблюдающего за ним садовника, принц резко развернулся и принялся орать в его сторону. Гален хотел было ответить, но немногие известные ему слова на спанском были крайне неприличны, поэтому он лишь поклонился и вернулся к работе.

Спустя неделю прибыл второй сын короля Ла-Бельжа.

Ла-Бельж

«Второй сын короля Ла-Бельжа довольно красив, — думала Роза, пока тот кланялся, — если вам нравятся темные волосы и голубые глаза». Фрезии, судя по ее лицу, нравились. Розу же это не трогало. Она лежала на диване в гостиной, подпертая подушками и закутанная в шали. Старшая принцесса грациозно наклонила голову.

— Я принц Бастьен, — представился гость по-вестфалински с сильным акцентом. — Приятно с вами познакомиться. Со всеми вами. — Глаза его оценивающе скользнули по остальным девочкам.

Фиалка и Петуния сидели на диване справа от Розы, Маргаритка слева, у ее ног свернулась комочком ее близняшка Мальва. Все они пребывали не в лучшем виде: красные носы и слезящиеся глаза по-прежнему преобладали. Половину девочек сотрясали затяжные приступы кашля, а Роза от слабости не могла долго стоять. Но лихорадка у нее спала, поэтому она согласилась официально приветствовать ла-бельжского принца.

— Приятно познакомиться с вами, принц Бастьен, — очень тихо произнесла Роза.

Заговори она громче, неминуемо закашлялась бы.

Фрезия, оправившаяся от болезни почти так же быстро, как Мальва, пришла на помощь и представила сестер. Роза видела, как остекленели глаза принца, пока Фрезия быстро произносила двенадцать имен, и подавила вздох. По опыту она знала, что ее имя он запомнит, поскольку она старшая, но Мальва постоянно жаловалась, что ее называют Маргариткой или, хуже того, Фиалкой. Не многим визитерам удавалось различить близнецов, и еще меньше давали себе труд разобраться в именах кого-либо моложе пятнадцатилетней Примулы.

Верный традиции, принц Бастьен после представления едва уделил секунду младшим девочкам. Он подтянул стул к Розиному дивану и принялся занимать ее рассказом о путешествии из Ла-Бельжа в Брук, весьма комично описав капитана речного баркаса, который плевался после каждой фразы. Однако Роза заметила, что он не сосредоточивался полностью на ней, а включал в беседу и Фрезию с Лилией.

Позже, когда они одевались к ужину, Лилия ядовито согласилась:

— Ну да, уж к папиному трону его сердце точно прикипело. Он флиртовал с нами тремя одинаково.

— Почему это? — Фрезия возилась с волосами, прикидывая эффект от вплетенной в темные кудри алой ленты. — На случай, если одна из нас окажется глупее других?

— На случай, если одна из нас начнет питать к нему слабость и откроет тайну, полагаю, — объяснила Роза и высморкалась в платок. Какое облегчение остаться одной, среди сестер, где можно сморкаться, не заботясь, насколько женственно выглядишь. — Зачем я только встала с постели?

К тому моменту, когда принц Бастьен завершил свое повествование, голова у Розы уже кружилась. Давно и с трудом сдерживаемый приступ кашля позволял дышать лишь урывками. Одна из горничных, заметив страдания старшей принцессы, выпроводила посетителя, поспешила снять с Розы чайное платье и уложить ее в постель.

Бедняжка надеялась присутствовать на официальном ужине в тот вечер, но послала горничную доложить отцу, что роль хозяйки снова придется играть Лилии. Петунию, Фиалку и Маргаритку также решено было оставить в постели.

— Узел лучше смотрится на затылке, — заметила она Фрезии. — И кончай прихорашиваться.

— Собираешься читать мне нотации про суетность, как Прим? — изогнула Фрезия бровь, глядя на отражение Розы в зеркале.

— Твое тщеславие меня не волнует, но шуршание и напевание утомляет до невозможности.

— Я не напеваю!

— А вот и напеваешь. Ты всегда напеваешь, когда причесываешься. Это раздражает.

— Знаешь, она права, — поддержала сестру Лилия, вдевая в уши аметистовые сережки. — Ты напеваешь, когда причесываешься и перед тем как заснуть.

Сраженная вестью о наличии у нее дурной привычки, Фрезия завершила туалет в молчании и вышла из комнаты. Роза только-только закрыла глаза и начала уплывать в сон, когда услышала, как пищат и щебечут в гостиной младшие сестры.

В комнату влетела Сирень с огромным букетом в руках.

— Ну разве они не прелесть?

Она развернула цветы, и Роза поняла, что это не один большой букет, а три маленьких. Один полностью состоял из лилий, второй — из сиреневых гроздьев, а третий — из темно-алых роз.

Как ни странно, каждый букет стягивал вязаный шнурок из черной шерсти, но, когда Сирень протянула ей алые розы, Роза сочла, что это очень красиво. Она поднесла цветы к заложенному носу и попыталась понюхать. Внутрь пробился лишь отдаленный намек на аромат, поэтому принцесса нежно погладила себя по щеке мягкими лепестками, смакуя изысканное ощущение. Порой она чувствовала себя виноватой, что отец тратит столько денег на сады, особенно на обогрев и поливку теплиц, но в данный момент оно того стоило.

— Грета говорит, их принес новый младший садовник, — выпалила Сирень. — Он отдал их ей в большой корзине и попросил отнести нам после десерта. Я собираюсь повязать свой лентой под цвет платья и взять с собой на ужин. — Она вышла, не переставая любоваться темно-лиловыми и бледно-розовыми цветами.

— Новый младший садовник? — Лилия взглянула на Розу поверх собственного белого букета. — Это не тот, из-за которого ты в фонтан свалилась?

— Он не виноват, — твердо сказала Роза.

В первую неделю болезни она ругала Галена на чем свет стоит, но в последнее время смилостивилась, наблюдая, как неустанно он трудится в саду ее матери. Ощущение мягких красивых цветов у щеки также изрядно смягчило ее.

Следующей в комнату вошла Мальва. Ее букет из ярко-красных цветков ярко выделялся на фоне бледно-розового платья.

— Лилия, пора на ужин. Они там так орут — я едва гонг расслышала. — Она дернула темноволосой головкой в сторону гостиной, где сестры сравнивали букеты.

— Дай только ленточку покрасивее завяжу, — сказала Лилия, метнувшись к своему туалетному столику в поисках чего-нибудь подходящего к платью.

— Как думаешь, почему он их послал? По-твоему, он сначала получил разрешение?

— Уверена, что получил, — беззаботно отозвалась Мальва. — На днях он провожал меня домой из сада, когда Фернан приехал. Он очень добрый. И красивый. — Она пошевелила бровями на Розу, но та предпочла проигнорировать намек. — Не надо новой ленты, так они выглядят интереснее, — сказала она Лилии, поправляя завязку, стягивавшую тонкие стебли ее тезок. — Думаю, шнурок тоже Гален сделал. В обеденное время он сидит на камнях под нашими окнами и вяжет. По-моему, он даже носки себе вяжет сам.

Лилия подняла глаза от туалетного столика:

— Правда?

— Да, но Роза лучше знает, чем я, — пропела шалунья и выпорхнула из комнаты, зарывшись носом в цветы.

Лилия взглянула на Розу, но та лишь пожала плечами, надеясь, что не покраснела.

— Необычный молодой человек, — пустила Лилия пробный шар.

— Но красивый! — крикнула из-за двери Мальва.

Две старшие сестры закатили глаза.

Когда те, кто чувствовал себя достаточно хорошо, отбыли на ужин, Роза прикрыла глаза и задремала. Она спала лучше, чем за все предыдущие недели, даже месяцы, с букетом роз, засунутым в подушки около ее щеки. Как и Мальве, ей понравился вязаный шнурочек, скреплявший цветы, и она теребила его, засыпая.

Когда она проснулась, оказалось, что к ней в спальню заглядывает Бастьен и ухмыляется. От испуга она сжала букет слишком сильно и уколола палец. Большую часть шипов Гален убрал, но один пропустил.

— Ой! — Роза сунула палец в рот, а затем чихнула в платок.

— Бедняжка принцесса, — сказал от дверей принц Бастьен. — Вы все еще больны?

— Да, я все еще больна, — раздраженно огрызнулась Роза и от души высморкалась, не заботясь о том, насколько привлекательно или женственно выглядит.

Она была в ночной рубашке. Какого черта он заглядывает к ней в спальню и таращится на нее подобным образом?

— Принц Бастьен? — У его локтя появилась всегда ответственная Лилия и бросила извиняющийся взгляд на Розу. — Почему бы вам не показать нам ту карточную игру, о которой шла речь за ужином?

— А Роза к нам не присоединится?

— Нет, боюсь, Ро... моя старшая сестра слишком устала, — отрезала Лилия.

Она ловко увела Бастьена, и Роза провела остаток вечера, слушая веселье через открытую дверь спальни. В десять горничные приготовили их всех ко сну и застелили кушетку для принца в гостиной. В четверть одиннадцатого горничные и ла-бельжский принц крепко спали.

Они не проснутся до зари, как бы девочки ни шумели. Псы из ада могли пронестись с лаем через гостиную, но и они не потревожили бы сон, одолевший Бастьена и слуг.

Опираясь на руку Лилии, Роза взглянула на принца, когда проходила мимо. С отвисшей губой и струйкой слюны, капающей на атласную подушку, он показался ей вовсе не таким красивым, как при первой встрече. Она покачала головой и понюхала свои цветы. Потом Лилия открыла тайный проход, и они отправились на полночный бал.

Спустя три дня принц Бастьен уехал в разочаровании.

Теплица

— Не знаю, сколько еще принцев им удастся найти, — сказал Вальтер. Они с Галеном подрезали в тропической теплице экзотические фруктовые деревья, слишком нежные, чтобы расти в открытом грунте Вестфалина в любое время года. — Было уже шесть?

— Семь, — ответил Гален.

Он вел тщательный подсчет. Мальва, как и другие младшие принцессы, которые чувствовали себя лучше, иногда останавливалась в саду и шепотом делилась с Галеном своим нелицеприятным мнением о принцах. Роза не выходила, хотя Гален часто видел ее у окна. Из-за золотисто-каштановых волос она казалась еще бледнее. Он снова хотел послать ей цветы, но принцесс было слишком много, и незамеченным подобный жест не прошел бы, а послать букет только Розе было бы с его стороны неправильно. Он объяснил свой первый подарок необходимостью проредить цветы в теплицах.

— И все как один надменные и себялюбивые, — поцокал языком Вальтер. — Лишь бы до трона добраться, а до принцесс им и дела нет.

И все семеро уехали, не разгадав тайну сношенных бальных туфель. Слышали, как король орал в любое время дня и ночи на любого, кто готов был слушать. Отношения с соседними странами сделались еще напряженнее, чем прежде. Если король Грегор, объявив состязание за свой трон, рассчитывал заставить страны Ионии[1] объединиться, то он просчитался.

— Уже три месяца, — внезапно сказал Гален.

Вальтер только фыркнул.

— Принцесса Роза больна уже три месяца.

— Она идет на поправку, — заверил его Вальтер. — Воспаление легких всегда протекает тяжело, даже у молодых. — Старик похлопал юношу по руке. — Ты славный парень, если беспокоишься о них, Гален. Очень славный.

И тут дверь в дальнем конце теплицы открылась, и вошли две фигуры. Спасаясь от холода, они закутались так плотно, что наверняка юноша смог определить лишь их принадлежность к жен-

---

[1] Континент Иония примерно соответствует Европе. *(Прим. автора.)*

скому полу. Однако, когда парочка избавилась от капоров и плащей, исходя паром во внезапном тепле, Гален узрел принцессу Розу собственной персоной, опирающуюся на руку музыкальной принцессы... Гортензии вроде бы.

Гортензия подвела Розу к скамейке под банановым деревом и отошла поглядеть на цветущие лианы. Гален положил секатор. Вальтер вскинул бровь, и юноша ухмыльнулся. Он сорвал апельсин с ближайшего дерева, подмигнул старику и направился по проходу к скамье.

Теперь, проработав при дворе уже некоторое время, то и дело натыкаясь на принцесс и министров, послов и принцев, он изрядно отшлифовал манеры.

— Доброе утро, принцесса Роза, — галантно произнес Гален и с поклоном предложил ей апельсин.

По правде говоря, ее вид его слегка шокировал. В окне она смотрелась романтически-бледной и тонкой, но вблизи сделались очевидны чрезмерная худоба, впалые щеки и залегшие под глазами темные круги. Густые золотисто-каштановые волосы были убраны в простую тугую косу и лишь подчеркивали строгую белизну кожи на фоне темного платья.

Однако улыбка Галена не дрогнула. Он подумал, что теперь она стала даже красивее, в ней появилось нечто неземное и зрелое, чего раньше не наблюдалось.

— Позвольте преподнести вам этот апельсин, ваше высочество, вкупе с пожеланиями скорейшего выздоровления.

— Вы очень щедры, мастер Гален, — ответила она, еле заметно посверкивая глазами, — особенно учитывая, что эти апельсины принадлежат моей семье. — Она приняла у него оранжевый шар и принялась перекатывать в ладонях. — И учитывая, что болезнь моя, скорее всего, является результатом падения в фонтан в день нашего знакомства.

Гален поморщился. Он знал, что она это припомнит, но надеялся, что не станет держать на него зла. Хотя, судя по призрачной улыбке на бледных губах, принцесса говорила не всерьез.

— Что ж, ваше высочество, мне известно, насколько я неотразим, но вряд ли можно меня винить, если моя красота подействовала на вас так сильно, что вы упали в обморок, — заявил юноша, вставая в позу.

В животе у него порхали бабочки, и он гадал, не слишком ли далеко зашел в своем поддразнивании.

Но он был вознагражден: Роза рассмеялась — это был высокий, чистый звук — и бросила в него апельсином. Гален ловко поймал подачу, но, когда смех ее перешел в кашель, уронил апельсин и склонился над ней, не смея похлопать девушку по спине или взять за руку.

— Простите меня, ваше высочество. Вам нехорошо?

Гортензия услышала кашель и прибежала назад. Она плюхнулась на скамейку рядом с Розой, обхватила старшую сестру одной рукой и поднесла к Розиным губам платок.

— Что случилось? — строго спросила она Галена.

— Мне очень жаль, ваше высочество, — произнес, отступая, молодой садовник. — Я рассмешил принцессу и...

— Вы ее рассмешили? — У Гортензии округлились глаза. — Она уже несколько недель не смеялась! — Принцесса улыбнулась Галену и слегка сжала Розино плечо.

— О боже, — выдохнула Роза, когда приступ кашля кончился. — Простите, — обратилась она к юноше.

— Нет, пожалуйста, ваше высочество, это все я виноват. — Он прочистил горло. — Вам... вам понравился букет? В смысле, букеты? Я посылал... — Гален умолк, чувствуя себя глупо.

— О да! — Роза тепло улыбнулась ему. — Они были прекрасны.

— Я свой сохранила, — влезла Гортензия. — Засушила, и он стоит в маленькой вазе у меня на фортепиано.

— Я рад, — произнес Гален, но глаза его были прикованы к Розе. — Я надеялся порадовать вас.

Значит, Роза сочла сделанный им для нее букет прекрасным!

— Ой, спасибо, что напомнили. — Роза порылась в кармане плаща и вынула шнурок, которым Гален перевязал ее букет. — Заберете? Уверена, он вам пригодится.

— Нет-нет! Вы должны его сохранить, принцесса Роза, — сказал Гален. — Старый солдат, который научил меня вязать, всегда говорил, что шнурок из черной шерсти отгоняет зло. Я подумал, может...

Он смущенно умолк. Перевязанные черным шнурком букеты должны были, по замыслу, отвести болезнь, но уже ясно, что ничего у него не вышло.

— Тогда спасибо. — Роза явно не заметила его колебаний, смотала шнурок и убрала обратно в карман.

Разговор иссяк, и Гален неловко топтался перед двумя принцессами.

— Ну. — Он покачался на каблуках, прикидывая, как бы поскорей вернуться к работе, пока не пришел Райнер и не накостылял ему. — Уверен, что вы наслаждаетесь вниманием множества поклонников королевских кровей, которые приезжают поглазеть на вашу красоту, так что мне, пожалуй, лучше убраться. — Юноша поклонился. — Ненавижу, когда меня вызывают на дуэль.

Говоря это, Гален ухмыльнулся и подмигнул, но реакция принцесс его потрясла. Роза зажмурилась, словно от боли, а Гортензия натурально перекрестилась и забормотала молитву.

Гален обернулся на шум за спиной и увидел двух средних принцесс, следом семенила самая младшая. Все они в ужасе уставились на него.

— Он про тех принцев, которые умерли? — спросила Петуния, хмуро глядя на Галена. — Нам не полагается о них говорить, — громким шепотом сообщила она.

— Кто... умер? — У Галена дрогнул голос.

— Ш-ш-ш! — Две сестры, державшие малышку за руки, потащили ее прочь.

— Ш-ш-ш! — повторила сама Петуния через плечо, по-прежнему сердито таращась на Галена.

— Роза, нам лучше вернуться к себе в покои. Тебе следует отдохнуть, — натянуто произнесла Гортензия, избегая встречаться с юношей глазами.

А ведь всего несколько секунд назад она улыбалась ему сияющей улыбкой за то, что он рассмешил ее старшую сестру. У Галена упало сердце.

— Нет. — Роза стряхнула ее руку. — Он имеет право знать. Все имеют.

— Но, Роза, — запротестовала Гортензия, — он же садовник. Он тут совершенно ни при чем.

Гнев вспыхнул в груди Галена, но юноша его сдержал.

— Она права, — сказал он, отворачиваясь. — Я всего лишь садовник.

Хватит ставить Розу в неловкое положение.

— Говорят, вы были солдатом, — окликнула его та, — сражались за родину.

Он медленно повернулся обратно, расправив плечи.

— Это правда, ваше высочество.

— Тогда вам знакомы дороги к югу от Вестфалина, ведущие в Спанию и Аналузию?

— Конечно знакомы, ваше высочество. Я шел по ним, возвращаясь с войны.

Он подумал о странной старухе, встреченной на тех дорогах, и о подаренном ею плаще, который хранился в сундуке у него в комнате в дядюшкином доме. Младшему садовнику от плаща-невидимки мало проку.

— Много ли на этих дорогах бандитов? Большой ли опасности вы подвергались? — Роза глядела странно, словно уже знала ответ.

Гален озадаченно помотал головой:

— Нет, ваше высочество. Вдоль дорог иногда попадаются хутора, но люди добры к усталому солдату. Возможно, с тех пор, как я возвращался, все изменилось. Но прошло всего месяца четыре...

Она кивнула:

— Все твердят одно и то же. На этих дорогах никогда не водилось грабителей или иного повода для беспокойства. Однако спанский принц, который приезжал за нами ухаживать и пытался... шпионить за нами ночью, убит бандитами по пути домой.

Гален отпрянул.

— Мне очень жаль, ваше высочество. — Он припомнил пижона-принца, визжащего на носильщиков во дворе. Шпага царственного хлыща выглядела декоративной и вряд ли остановила бы профессионального налетчика. — Но у него была охрана... — Видя расстроенные лица, он оборвал рассуждения. — Я вам сочувствую, ведь вы скорбите о потере друга, ваши высочества.

Роза отмахнулась:

— Вряд ли его можно назвать нашим другом. — Она рассеянно ковыряла носком низкого ботинка мягкую землю вокруг скамейки. — И принцев Ла-Бельжа и Аналузии тоже. Иначе мы бы уже оцепенели от горя, ведь они тоже мертвы.

— Как так? — Осознав, что у него отвисла челюсть, Гален захлопнул рот, чуть не щелкнув зубами.

— Дуэль, — коротко сообщила Гортензия. — Они встретились при ла-бельжском дворе спустя неделю после неудачи аналузского принца. Тот обвинил ла-бельжского принца — не помню их имен, простите, — в подрывной деятельности, мол, ла-бельжский принц расставил тут ловушки, дабы обеспечить поражение и унижение аналузского принца. Ни слова правды, но они дрались и убили друг друга.

Потеряв дар речи, Гален вытаращился на нее.

— Остальные тоже мертвы, — добавила Роза. — Все побывавшие здесь наследники престолов погибли. У кого корабль потонул. У кого обычно послушный конь испугался и сбросил седока, сломав бедняге шею. — Она подняла глаза на Галена. — Мы прокляты. Вы заслуживаете правды, так знайте: наша семья проклята. Вам надо уходить, найдите работу где-нибудь еще, пока и с вами чего-нибудь не приключилось.

— Но, принцесса Роза! — взял себя в руки Гален. — Вовсе вы не прокляты. Вы болели, но это наверняка...

Она оборвала его резким взмахом руки и с усилием поднялась.

— Мы прокляты, — обреченно повторила она. Проходя мимо под руку с Гортензией, она коснулась плеча Галена тонкими пальцами и негромко сказала: — Покиньте это место.

Когда несколько минут спустя его нашел дядя Райнер, Гален так и стоял посреди прохода. Глядя на скамейку, где прежде сидели Роза с Гортензией, он лихорадочно размышлял.

— Гален! Тебе что, заняться нечем? — Судя по виду главного садовника, он с легкостью мог подыскать работу любому праздному подчиненному. — И почему на земле апельсин валяется?

Гален поднял на него глаза:

— Я намерен разгадать эту загадку.

— Что ты мелешь? — Райнер протянул лопатку и пакет с семенами, но Гален их не взял.

— Мне надо повидать короля, — пробормотал он себе под нос, проталкиваясь мимо Райнера и направляясь к выходу из теплицы. — Бедная Роза. Я должен ей помочь.

Танцовщица

Дни Роза проводила как в тумане.

Воспаление легких временно избавило ее от обязанностей хозяйки дома. Эту роль играли по очереди Лилия с Фрезией, в зависимости от того, кто из них чувствовал себя лучше. Официальные ужины и приемы всегда казались Розе ужасно скучными, но теперь, получив возможность не присутствовать на них, она осознала, насколько хорошо они ее отвлекали. Образование ее завершилось, а увлечением, способным занять часы досуга, она, в отличие от Гортензии или Примулы, так и не обзавелась. Роза любила читать, но лихорадка и утомление не позволяли толком сосредоточиться. Она мусолила все тот же бретонский роман, начатый за неделю до болезни, и все никак не могла его домучить.

Ей полегчало, и она уже могла выходить из своих покоев на час-другой, но теперь стало слишком холодно для прогулок. Друзей за пределами дворца, кого можно было бы навестить, у нее не водилось, а о садах и речи быть не могло. Именно Гортензия предложила наведаться в теплицы, где росли экзотические фрукты и редкие орхидеи, и отложила свои музыкальные занятия, чтобы помочь Розе укутаться и добраться туда.

И в тропической теплице, на скамейке под банановым деревом она снова столкнулась с Галеном.

Роза даже испугалась своей радости при виде юноши в коричневом кафтане садовника. После парада напыщенных принцев, чьих лиц она по причине болезни и не запомнила, непринужденные манеры Галена и теплая, искренняя улыбка показались ей освежающими. Он снова подстригся — так коротко, что на висках просвечивала кожа. Волосы у него были жесткие, и ей вдруг ужасно захотелось погладить его по голове.

Роза не собиралась так ужасно вести себя с Галеном и заявлять ему, что они прокляты. Однако сильные чувства плохо поддаются управлению, и возмущение, охватившее ее, когда она обнаружила, что отец предлагает одну из них в качестве приза в состязании, в сочетании с ужасом при известии о смерти принцев усилило ее отчаяние.

Примула, как выяснилось, разделяла ее страхи, и это открытие отнюдь не прибавило бодрости.

— Ты права, — мрачно сказала она Розе. — Поначалу я думала, что мы невинны и только мама будет наказана. Но теперь, когда на нашей совести гибель принцев, сомнений не осталось. — Она не казалась расстроенной, просто смирившейся.

Мальва попыталась символически заткнуть Примулу, надев последней на голову подушку, но Маргаритка оттащила близняшку. Мальва недовольно зарылась в подушку лицом.

— Можете хоть все считать себя проклятыми, если хотите, — донесся до сестер ее приглушенный голос, — но я предпочитаю думать о будущем.

— Например? — вскинула бровь Фрезия.

Все сестры расположились в гостиной. Некоторые шили, младшие собирали рассыпанную по ковру головоломку. Роза отдыхала на диване у окна, утомленная путешествием в теплицу.

— Наше время внизу закончится, и мы получим свободу, — решительно заявила Мальва.

— Чем заняты мои принцессы в такой славный денек? — В комнату суетливо вошла Анна, их пухлая гувернантка.

Анна родилась в Бретони и приехала в Брук в качестве компаньонки и переводчицы королевы Мод. Когда Розе исполнилось четыре года, Анну убедили принять должность королевской гувернантки, поскольку ее достоинства включали знание аналузского языка, игру на фортепиано и познания в истории и науках — вдобавок к свободному владению бретонским и вестфалинским. Она стала девочкам и другом, и учителем, и Роза горько сожалела, что они не могут рассказать Анне о проклятии.

Мальва открыла рот, чтобы ответить гувернантке, затем снова закрыла, неспособная говорить. Не имело смысла пытаться посвятить в их тайну кого бы то ни было. Они просто немели или начинали нести чушь, и принцессы давно оставили эти попытки.

— Ничем, — наконец пробормотала Мальва.

— Поскольку вы достаточно здоровы, чтобы заниматься «ничем», почему бы нам не побеседовать о вестфалинской истории?

Анна переводила взгляд живых черных глаз с одной сестры на другую, напоминая Розе большого воробья.

Сестры школьного возраста дружно застонали и последовали за гувернанткой в классную комнату, оставив старших в гостиной.

— Роза, мы не прокляты, — сказала Лилия. Она пересекла комнату и подоткнула старшей сестре плед вокруг коленей. — Не зацикливайся на этом. Еще всего несколько лет...

— Всего несколько лет — и я умру, — резко возразила Роза, отворачиваясь от сестры.

Она уставилась в окно на зимний сад. Внизу ковылял по тропинке старый Вальтер с полной тачкой мульчи, за ним следовали три младших садовника. Сердце ее пропустило удар, но тут же успокоилось: Галена среди них не было. Девушка вздохнула.

Лилия пощупала ей лоб.

— Тебе хуже? Может, приляжешь?

— Нет, все хорошо. — Роза заставила себя улыбнуться. — Правда. Я просто хочу посидеть тут и отдохнуть. Спасибо тебе.

Видимо, Роза уснула, поскольку в следующий миг проснулась оттого, что Фрезия трясет ее, пытаясь разбудить. Младшая сестра уже надела бальное платье из розового атласа и убрала волосы лентами.

— Полдвенадцатого, — с обреченностью в голосе произнесла Фрезия. — Давай тебя собирать.

Как повелось с первого дня ее болезни, Лилия и Фрезия помогли Розе надеть бальное платье. Они нарумянили ей щеки и соорудили прическу, затем завязали новые бальные туфли, доставленные в тот день.

Старшая уже достаточно окрепла, чтобы одеваться самой, но держать руки над головой, укладывая волосы, сил пока не хватало. Она прикинула, не отправиться ли на полночный бал в ночной рубашке и домашних тапочках, чтобы подчеркнуть тот факт, что она нездорова и не надо ее заставлять присутствовать, но сделала ошибку, поделившись этой мыслью с Лилией.

Та пришла в ужас. А вдруг их всех накажут, если хоть одна не будет выглядеть отменно? С тех пор как они пропустили ночь, обстановка накалилась, поэтому Роза позволяла им одевать себя в атлас и украшать драгоценностями. Затем она следила, чтобы остальные сестры, вплоть до плачущей, сотрясаемой кашлем Фиалки, были одеты так же.

Добросердечная Сирень подсунула подушки под головы посапывающим горничным и накрыла их одеялами. Войдя в покои принцесс после ужина, служанки вскоре, как всегда, попадали на пол, сраженные сонным заклятием. Они проснутся поутру с закостеневшим телом и распухшей головой и обнаружат, что их подопечные преспокойно лежат в кроватках, а их новехонькие бальные туфельки протерты до дыр.

— Мы готовы?

Лилия оглядела одиннадцать сестер. Раньше этот вопрос всегда задавала Роза, это она проверяла завязки и подбирала выбившиеся локоны. Но с тех пор как заболела, старшая принцесса не чувствовала в себе ни сил, ни склонности заниматься их внешностью, поэтому Лилия взяла на себя и эту обязанность.

Все кивнули в знак согласия, Роза повисла между Мальвой и Гортензией, Фиалку поддерживали Орхидея и Маргаритка, а Фрезия подпирала Сирень. Петуния и Примула держались за руки. Петуния даже улыбалась, она до сих пор любила танцевать. Лилия опустилась на колени в центре восточного ковра, покрывавшего пол гостиной, и длинным пальцем провела по узору к центру.

Лабиринт замерцал. Окрашенный в золотистый цвет шелк превратился в настоящее золото. Рисунок словно провалился в пол, сияющие полосы расширились, преобразовавшись в угловатые ступени, спиралью уходящие в темноту. Лилия взяла со стола лампу и осторожно поставила ногу на первую ступеньку, свободной рукой придерживая подол.

У подножия их поглотила темнота. Как только Роза ступала на землю, золотая винтовая лестница снова поднималась, не оставляя им пути к отступлению, пока первый луч зари не коснется восточных холмов Вестфалина. Как Рионин с братьями добрался до королевского сада? Каким образом их мать впервые установила контакт с этими тварями? Принцессы не смели спрашивать.

Лампа Лилии здесь казалась лишь маленькой искоркой, и они следили за ней жадными до света глазами. Сквозь ворота, через лес, к берегам озера, по воде — на полночный бал.

Шпион

Примчавшись поговорить с королем больше месяца назад, Гален наткнулся на королевского дворецкого, господина Фишера. Господин Фишер не позволял младшим садовникам в заляпанных грязью башмаках разговаривать с королем. Господин Фишер вообще не пускал младших садовников во дворец.

Уходя, отверженный Гален миновал доктора Келлинга — тот заехал во дворец проведать принцесс. Доктор окликнул его, заинтригованный печальным лицом юноши, бредущего прочь от передних дверей:

— Молодой человек! Могу я вам чем-нибудь помочь?

Гален не раз видел, как доктор приходит и уходит, и знал, что это близкий друг королевской семьи. Келлинга отличали непокорная грива седых волос и внушительные брови над поблескивающими голубыми глазами.

— Да, господин доктор, — ответил Гален. — Я хотел... ну, я надеялся поговорить с королем.

И стиснул зубы, осознав, как глупо это звучит. Какое право имеет он обращаться к королю?

— Касательно чего? Какие-то неполадки с Садом королевы?

— Нет-нет, сударь, — заверил его Гален. — Это насчет... насчет принцесс. Мне показалось, я мог бы... помочь. — Юноша расправил плечи и взглянул Келлингу прямо в глаза. Возможно, это и дерзость с его стороны, но ему невыносимо было видеть горечь на измученном лице Розы. — Я хочу помочь им, сударь, — твердо повторил он.

Одна из внушительных бровей приподнялась.

— С чего вы решили, будто принцессы нуждаются в помощи?

Гален взглянул на врача. Сверху вниз, если честно. Доктор Келлинг был среднего роста, а значит, ниже юноши почти на голову.

— Сударь, все знают про сношенные до дыр бальные туфли и про вечную усталость принцесс. Они болеют оттого, что ходят... неизвестно куда, и с каждой ночью им все хуже. — Он поморщился. — И я видел... существ, которые приходили в сад в ту ночь, когда принцессы не танцевали.

Доктор Келлинг оценивающе взглянул на Галена:

— И что, по-вашему, вы можете сделать?

Гален остановился. Он уже понял, что рассказывать людям о плаще-невидимке опасно. Его могли обвинить в колдовстве, а скорее, просто не поверили бы и сочли безумным. Удобную ложь он сочинил давно, а прощения у Господа попросит потом.

— Я кое-чему научился в армии, сударь. Разведка, шпионаж и всякое такое. Уверен, я сумею проследить за принцессами без их ведома.

Келлинг медленно кивнул и направился обратно к дворцу.

— Вы служили в действующих войсках?

— Да, сударь.

— Но по возрасту вы вряд ли можете помнить даже последнюю битву.

— Мой отец был военным, сударь. Я присутствовал при первой стычке с Аналузией и взял отцовскую винтовку, когда мне едва исполнилось пятнадцать.

— Храни нас святые угодники, — произнес доктор Келлинг и сжал плечо Галена. — Что мы сотворили с нашим юношеством? — Он покачал головой, пристально изучая загорелое лицо юноши. — Как вас зовут, молодой человек?

— Гален Вернер, сударь.

— Что ж, Гален Вернер, возможно, нам нужен как раз талантливый шпион, а не спотыкающиеся в темноте принцы. Сначала я должен навестить своих пациентов, но после этого мне предстоит обедать с его величеством. Тогда и поговорю с ним о вашей идее. А вам тем временем лучше вернуться к работе. Я знаю Райнера Орма, и он не обрадуется, поймав вас болтающимся у парадного крыльца.

— Да, сударь, — улыбнулся Гален.

Он зашагал прочь с надеждой в груди. Доктор Келлинг поговорит с королем, и тот даст разрешение на ночную разведку. С помощью плаща Гален проследит за Розой и ее сестрами и выяснит, какое безумие поймало их в свои сети. Вскоре принцессы смогут отдохнуть и поправятся. Улыбаясь, он представлял себе здоровый румянец на Розиных щеках. Разумеется, ему не предложат ее руку. Но возможно, ему удастся попросить ее о танце на балу или посидеть рядом с ней во время ужина — хоть разочек.

Насвистывая, юноша поднял грабли.

Он все еще был в хорошем настроении, когда один из лакеев доставил записку от доктора. Галена во дворец не пустят, но ему позволят бродить по садам всю ночь. Если появится повод для доклада, Гален должен будет оставить сообщение одному из внутренних слуг, адресованное либо доктору Келлингу, либо королю Георгу. К записке прилагалось королевское письмо с печатью, даровавшее Галену свободу передвижения по дворцовым угодьям после ухода остальных садовников и запирания ворот.

Еле слышно напевая, Гален продолжал работать до заката и отправился домой вместе с дядей Райнером, как обычно. Они прекрасно поужинали, а после юноша как ни в чем не бывало поднялся к себе в комнату. Райнер Орм отличался строгими понятиями о сословиях и приличиях, и Гален знал, что родственникам бесполезно рассказывать о своей затее. После десяти, убедившись, что все остальные уснули, молодой человек запихнул тускло-фиолетовый плащ в свой мешок и выскользнул из дома.

Странно было шагать по ночным улицам Брука. Днем тут все кипело суетой: телеги и лошади, пешеходы, перекликающиеся соседи. Теперь все стихло. Прошел холодный дождь, и улицы блестели в лунном свете, гладкие и мокрые.

Еще необычнее было подходить к стражникам у дворцовых ворот и показывать им королевское письмо. Отойдя подальше от караулки, в тень, отбрасываемую большим дубом, Гален вытащил из мешка плащ и надел его. Как только золотая застежка защелкнулась, юноша исчез. Он поспешил по гравийным дорожкам к южной стороне дворца и занял пост под окнами принцесс.

Там лежали для украшения несколько больших валунов. Гален и Вальтер частенько сиживали на них, обедая. Однако сейчас было холодно и мокро, поэтому юноша не стал садиться, а начал расхаживать вокруг камней, чтобы не замерзнуть, пока наблюдает.

Стройный силуэт отодвинул половину занавески, и сердце у Галена заколотилось. Затем тень повернула голову, и Гален сообразил, что профиль принадлежит не Розе, а Фрезии, и посмеялся над собой. Ему следовало догадаться при виде башни из лент и локонов на голове, что это не Роза. Фрезия задернула занавески и отошла, а Гален продолжил расхаживать, молча кляня себя.

Разумеется, он не такой дурак, чтобы влюбиться в принцессу...

Юноша помотал головой и переключил внимание на внешность Фрезии. Она явно сделала парадную прическу и, похоже, облачилась в вечерний наряд и драгоценности. Значит, собирается на бал. Девушка не стала бы так тщательно и замысловато наряжаться, просто чтобы потанцевать с сестрами у себя в покоях.

Он прождал на южной стороне дворца всю ночь. Свет у принцесс так и горел, и, хотя Гален таращился на полупрозрачные шторы, мечтая заглянуть внутрь, никто больше к окну не подходил. Только когда рассвело, огни один за другим погасли.

Гален не терял надежды. Согласно письму короля он мог возвращаться во дворец после отбоя так часто, как того требовало раскрытие тайны. Так он и поступит. Проверит каждую дверь и окно, которыми могли воспользоваться принцессы, возможно, даже залезет по плющу, подражая Ринину, и заглянет к ним в окна, хотя от этой мысли его бросило в краску.

Он также решился признаться Вальтеру. У старого садовника был острый глаз. Гален попросит его высматривать любые признаки следов на мягкой почве клумб. Двенадцать пар ног не могли миновать сад, не оставив ни единой отметины.

Бретонь

— Вы любите розы, принцесса Роза? — Принц Альфред Бретонский улыбнулся, по его мнению, игриво; однако при этом обнажились его длинные зубы, отчего он сделался похож на лошадь.

Роза молча возблагодарила Бога, что у нее зубы не такие. Альфред приходился ей троюродным братом по матери и обладал массой черт, которые принцессе повезло не унаследовать.

— Да, люблю, — ответила она ровным тоном.

Ей не нравилось, когда потешались над ее именем, и она старалась не проявлять чувств, которые бестолковый Альфред мог расценить как веселье.

Они находились в теплице, любуясь цветами, цветущими круглый год. Это было любимое детище главного садовника Орма: он выводил новые оттенки и сорта роз, и его успехи на данном поприще остро интересовали короля Грегора. Куст, перед которым стояли Роза и принц Альфред, густо покрывали бутоны с алыми сердцевинками. Каждый цветок был размером с блюдце.

— Тогда я воткну розу вам в волосы, — заржал принц Альфред, бросаясь вперед и хватаясь за один из цветков. — Так же, как выдерну занозу тайны, что не дает вам покоя каждую ночь!

Его лошадиный смех оборвался криком боли, когда он укололся о шип.

«Так тебе и надо», — подумала Роза. Все принцессы знали, что эти розы рвать не полагается, и принцесса честно предупредила об этом кузена при входе в теплицу. Как только цветы почти распускались, главный садовник осторожно срезал их и относил во дворец, где их ненадолго выставляли на всеобщее обозрение; в остальном они предназначались исключительно для «флористических опытов», как называл это ее отец.

Кроме того, бретонский принц действовал Розе на нервы. Его несносность не исчерпывалась визгливым смехом и жуткими зубами. Он приправлял беседу неуклюжими двусмысленностями и явно считал себя очень галантным. Все Розины сестры благополучно улизнули через несколько минут, оставив старшую развлекать Альфреда в одиночку.

Стиснув зубы, Роза предложила кузену платок, одновременно прикидывая, как отомстит сестрам за то, что бросили ее с принцем Конская Морда. Она сказала себе, что неделя пройдет довольно быстро и тогда его с позором отправят восвояси, как и остальных. Но пока он пачкал кровью ее чистый платок и рассыпался в комплиментах ее нежному прикосновению, Роза вспомнила, что стоит ему уехать, как его жизнь, скорее всего, оборвется в каком-нибудь загадочном инциденте. Она должна желать ему успеха, но он даже отдаленно не напоминал бравую фигуру спасителя от полночного бала, какую она себе представляла.

«Злая я», — пробормотала она себе под нос.

— Что вы сказали, дорогая, дорогая Роза? — Альфред наморщил нос, и принцесса сообразила, что это он для пущей обаятельности.

— Я... Я... — В голову ничего не приходило; она смотрела в его большие, чуть навыкате глаза и не могла отвернуться.

— Прошу прощения, ваши высочества. — Из-за кадок с розами возник Гален Вернер и коротко им поклонился. — Принц Альфред нужен во дворце.

— Я? Почему? — удивился принц, и Роза молча согласилась с ним: зачем он может кому-то понадобиться?

— Не могу знать, ваше высочество, — ответил Гален. — Я всего лишь младший садовник.

Альфред принял эффектную позу, подпорченную зажатой в кулаке льняной тряпочкой.

— Я вернусь всего через мгновение, прекрасная принцесса, — пропел он.

— Хорошо, — только и смогла вымолвить Роза.

Когда принц Альфред удалился, девушка плюхнулась на скамейку и вздохнула. Она прикрыла глаза и запрокинула голову. Гален все еще топтался поблизости, озабоченно поглядывая на нее.

— Вам что-нибудь нужно, ваше высочество?

Она открыла глаза и взглянула на юношу:

— Зачем он понадобился во дворце?

Гален вспыхнул:

— Он, ну... я не могу сказать...

Роза расхохоталась:

— Вы просто соврали, чтобы избавиться от него?

— Ну да. — Гален пристыженно взглянул на нее. — Мне показалось, он докучает вашему высочеству.

— Совершенно верно, — согласилась девушка, благодарно улыбаясь. — А мои коварные сестрицы меня бросили!

— Очень жестоко с их стороны.

— Очень. — Она слегка вздрогнула. — Вы видели его зубы?

— Зубы и впрямь... очень крупные, — сказал Гален. — Однако уверен, что у него масса других прекрасных черт, — добавил он не очень убедительно.

— Боюсь, это его лучшая черта, — возразила Роза, не переставая смеяться. — Конечно, с моей стороны жестоко так говорить, особенно учитывая наше родство... но он такой кривляка!

Гален напустил на себя задумчивый вид:

— Он действительно напоминает мне одного очень красивого ломовика, которого я некогда знавал. У них одинаковая масть.

Роза снова расхохоталась в голос. Как хорошо иметь возможность смеяться без кашля! Но ей было хорошо уже оттого, что она нашла над чем посмеяться. В то утро после завтрака отец отвел ее в сторону и умолял позволить Альфреду раскрыть их тайну.

— Дорогая моя, — сказал король Грегор со слезами на глазах, — заклинаю тебя: разреши этому юному дурню достичь успеха. Я не знаю, что за тайну вы храните или почему, но этому пора положить конец. Пожалуйста, Розочка. — Он откашлялся. — Не такого человека я выбрал бы для тебя, для любой из вас, но по ионийским дворам ползут слухи. Поговаривают, будто вы, бедные мои девочки, причастны к этим жутким смертям. Сомневаюсь, что даже перспектива заполучить мой трон соблазнит нового соискателя.

Роза с болью видела, до какого состояния довело отца их проклятие. Папа с покрасневшими глазами умоляет ее помочь глупому принцу с лошадиной мордой добиться ее руки! Но она ничего не могла поделать — ни рассказать правду, ни помешать колдовскому сну одолеть Альфреда в ту ночь и в предыдущие.

— Что вас так расстроило? — Гален в тревоге уставился на нее.

Она сморгнула утренние воспоминания.

— Ничего. Просто подумала, что если этот ужасный принц Альфред не... — Принцесса спохватилась, что едва не вывалила семейные беды садовнику, и резко оборвала себя: — Ничего.

— Вы беспокоитесь, что принц Альфред, как бы ужасен он ни был, пострадает и в этом обвинят вас? — мягко спросил Гален.

Слезы защипали Розе глаза. Она кивнула:

— Отец в полной растерянности.

— Вы никому не можете рассказать, что происходит, верно?

Она помотала головой.

— Даже мне? Я ведь не принц, — вкрадчиво добавил он.

— Никому, — сказала она, икнув.

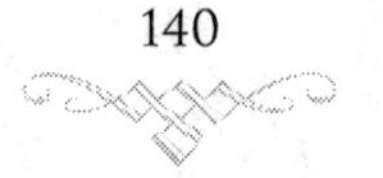

Гален взял садовые ножницы и подошел к кусту с розово-алыми розами. Он аккуратно срезал стебель цветка, который пытался сорвать Альфред, и убрал с него шипы, прежде чем поднести цветок Розе.

— Но ведь не положено, — запротестовала та.

— Это уже сделано, — возразил юноша. — Не дайте ему пропасть без толку.

Их пальцы соприкоснулись, когда она забирала у него цветок, и оба замерли на мгновение, рука к руке, а между ними — роза.

Принцесса беспомощно придумывала слова, способные нарушить уютное молчание, которым она наслаждалась слишком откровенно. И тут с грохотом распахнулась и захлопнулась дверь теплицы. Они с Галеном отпрянули друг от друга, он поклонился ей и ускользнул.

Принц Альфред приближался по дорожке, пыхтящий и красный от гнева.

— Похоже, никто во дворце не имеет ни малейшего понятия, о чем толковал этот полоумный садовник, — пожаловался он.

— Вероятно, он ослышался, — сказала Роза, по-прежнему разглядывая безупречный цветок на ладони.

— А по пути обратно ко мне пристал старик с деревянной ногой, пытался заставить меня приколоть к лацкану какую-то вонючую траву! — Альфред фыркнул через губу. — В Бретони...

— Возможно, во дворце искали меня, — перебила его Роза. — Мне лучше вернуться.

Заткнув розу за высокий корсаж платья, она поднялась и прошла мимо ворчащего принца Альфреда, плотно завернувшись в плащ.

Это была еще одна черта принца Альфреда, доводившая Розу — и всех остальных — до исступления. Он постоянно говорил. Рассказывал о своих призовых псах и призовых лошадях. Разглагольствовал о Бретони и о том, насколько там все лучше, чем в Вестфалине, — от погоды до свиней. К ужину Роза была уже готова затолкать ему в рот собственный носовой платок, только бы заставить его умолкнуть.

Она решила не слушать. На самом деле принцесса даже не притворялась, будто слушает. Никто не притворялся. Но принц либо ничего не замечал, либо это ни капельки его не беспокоило. После ужина Альфред увязался за сестрами в их покои, где проговорил несколько карточных партий напролет. Заклятие застало его посреди фразы, и он в мгновение ока перешел от болтовни о своих собаках (снова) к храпу, уронив голову на туза пик.

— Ф-фу-у! — Мальва бросила карты. — Ну и кошмар! Я уж боялась, что на него даже магия не подействует.

— Мне казалось, он не замолчит даже во сне, — поддержала Орхидея.

— Ну-ну, — угомонила их Примула, — мы могли бы быть помилосерднее.

— Согласна с Мальвой! — произнесла Роза, к всеобщему удивлению. — Я уже приготовилась стукнуть его вазой по голове, если заклятие не подействует. — Она с отвращением положила карты.

В тишине, последовавшей за Розиным взрывом, храп принца Альфреда казался особенно громким. Он почти совпадал по тону с посапыванием двух горничных в соседней комнате и позвякиванием колокольчиков или музыки ветра, долетавшим вроде бы снаружи.

— Что это за шум? — озадаченно спросила Маргаритка. — Я его весь день слышу.

— Один из садовников повесил колокольчики на плющ под нашими окнами, — сообщила Сирень.

— Зачем?

— А зачем садовники что-то делают? — пожала плечами Сирень.

— Мы вполне можем идти, — сказала Роза.

Колокольчики не заглушали храп, так что с них толку?

— Куда ты так спешишь? — удивилась двенадцатилетняя Сирень. — Это же ты всегда стонешь и жалуешься на полночный бал.

— Просто я хочу, чтобы эта ночь побыстрее кончилась! — рявкнула Роза. — Чтобы все эти ночи кончились!

Неприязнь к принцу Альфреду наполнила ее лихорадочной энергией. Она опустилась на ковер и погладила узор, открывая дверь в нижний мир. Затем взяла лампу и начала спускаться, не глядя, следуют ли за ней сестры.

Шаль

Принц Альфред приехал, и принц Альфред уехал — в точности как все остальные. Через неделю после возвращения в Бретонь его затоптал насмерть один из его призовых коней.

Король Грегор послал королевской семье подарки и письмо с выражением глубочайших соболезнований. Бретонский король отослал письмо и подарки обратно нераспечатанными — вместе с вестфалинским послом, которого более не желали видеть при королевском дворе в Каслроу.

— Сир! Это же оскорбление! Откровенная пощечина! — Шиллинг, премьер-министр, покраснел от ярости. — Это практически объявление войны...

— Нет! — Теперь настала очередь короля Грегора багроветь и кричать. — Больше никаких войн! Мы проглотим оскорбление и пойдем дальше. Бедняга убит горем. Он потерял старшего сына и вспылил. Я могу это понять.

Король Грегор заседал в зале совета со своими министрами; обсуждали грубую выходку со стороны Бретони. Роза устроилась в углу, тихо подшивая носовые платки. Одна из принцесс всегда присутствовала на королевских советах, как делала их мать, обеспечивая королю молчаливую поддержку.

— Но, сир, — возразил премьер-министр, — мои шпионы в Аналузии докладывают о встречах между их премьер-министром и ла-бельжским послом. Спания к нам теперь более чем охладела. — Он стиснул кулаки. — Они говорят, что принцы погибли не случайно, что это тщательно организованные заказные убийства, ваше величество, и винят однозначно вас. Наши отношения с иностранными государствами сейчас хуже, чем во время войны! Что нам делать?

За словами Шиллинга последовала глубокая тишина. Роза выронила шитье, и звяканье иголки о полированный паркет показалось громом. Премьер-министр смерил принцессу тяжелым взглядом.

— Придется это проглотить, — мрачно произнес король. — Пусть выставляют нас глупцами, пусть шепчутся и бряцают оружием — мы продолжим улыбаться и искать мира. Больше мы ничего сделать не можем. Страна не переживет новой войны.

Роза содрогнулась. Они с сестрами прекрасно знали, какой ценой досталась Вестфалину победа в Аналузской войне. Если придет новая война... она и вообразить не могла, что тогда станется с их бедной родиной. Принцесса не смела заключать сделки, на какие пошла ее мать. Вестфалину придется подняться или пасть, опираясь лишь на собственные силы, а в данный момент силы эти невелики.

— Тогда хотя бы отмените этот смехотворный манифест, — взмолился премьер-министр. — Никакие принцы больше не приедут. Не пренебрегайте тем фактом, что каждый королевский двор в Ионии потерял сына из-за ваших дочерей.

Советники дружно ахнули.

— Вы заходите слишком далеко, — негромко произнес король Грегор. — Мои дочери невинны. Эти смерти... ужасны... — Он потер губы ладонью, словно избавляясь от дурного привкуса. — Но как можно винить Лилию, если лошадь в Польне сбрасывает седока? Или это малютка Петуния подала двум горячим юнцам идею сразиться на дуэли?

Роза с тоской отметила, что отец даже не глянул в ее сторону при этих словах.

Шиллинг пожевал усы, проглотив возражение. Когда он наконец заговорил, голос у него срывался:

— Выплата выходных пособий армии нас едва не обанкротила. Отношения и с бывшими врагами, и с союзниками натянуты до предела. Если нас напрямую обвинят в убийстве их сыновей... Если до архиепископа дойдут слухи, вызванные этими случайностями за сотни миль от нас...

И снова последовало молчание — даже Шиллинг боялся продолжать.

Роза сидела, стиснув шитье онемевшими руками. Казалось, пол уходит из-под ног, и ей стоило изрядных усилий дышать ровно и не привлекать внимания.

Прежде чем молчание сделалось поистине невыносимым, король Грегор просто повторил всем приказ «держаться» и распустил совет.

Принцесса засунула спутанные нитки в корзинку для шитья и встала.

— Розочка? — Отец смотрел на нее одновременно с надеждой и яростью.

Она знала, чего он хочет, — чтобы она раскрыла ему их тайну. Или хотя бы заверила, что с этим покончено, что бессонные ночи — для всех — прекратились. За завтраком он заикнулся об идее отослать младших в старую крепость в горах, и Розе пришлось сказать, что сотканные из теней твари в саду вернутся и на сей раз сумеют войти во дворец. Больше принцесса ничего не могла добавить, но муки на ее лице и на лицах сестер явно оказалось достаточно. Король оставил их в покое.

Роза натянуто улыбнулась отцу и выскользнула из комнаты. У себя в покоях она задержалась ровно настолько, чтобы бросить корзинку в кресло и надеть поверх шерстяного платья подбитый мехом плащ, а потом вышла в сад.

В теплице с экспериментальными розами девушка наткнулась на главного садовника Орма. Тот мрачно кивнул ей, тщательно изучая листья на кусте розово-алых роз. Она спрятала виноватую улыбку — ведь он наверняка знает, что Гален срезал один цветок для нее, — и попятилась наружу.

Роза уныло бродила по теплицам, не находя Галена. Она даже не знала точно, зачем ищет его, но до смерти устала от сестер, а во дворце больше не было ее сверстников. Анна, их гувернантка, всегда служила поверенной всех их девичьих тайн, однако сейчас шли уроки. Но даже окажись Анна свободна, с садовником принцессе почему-то хотелось поговорить гораздо сильнее.

— Роза! Роза! Роза!

Младшие мчались к ней по бурым зимним газонам. Они раскраснелись от холода, их волосы и плащи развевались на ветру. Роза решила, что их только что выпустили из классной комнаты на перемену.

— Рози-рози-рози-роз, — распевала Орхидея. — А тебе подарок!

— Я тоже хочу подарок, — надулась Фиалка. — Где мой подарок?

— Это же не твой день рождения, — с большим авторитетом заявила Петуния. — Подарки дарят только на день рождения и на праздники.

— Но и у Розы сегодня не день рождения. — Орхидея выплясывала вокруг старшей сестры. — И это делает подарок особенным-преособенным.

Вся эта пляска, и надутость, и пение после долгой прогулки по садам и обратно утомили Розу. Она обняла одной рукой Фиалку, а другой — Орхидею и пошла в сторону дворца. Петуния послушно семенила следом.

— А теперь, — сказала Роза, когда все успокоились, — что это за болтовня насчет подарка?

Младшие сумели только проблеять, что высокий молодой человек передал горничным пакет и сказал, что это для Розы. Когда они добрались до покоев принцесс, Мальва дорисовала подробности.

— Один из младших садовников прислал тебе подарок, — заявила она, шаловливо поблескивая глазами. — Думаю, ты догадаешься кто, а? — Она отбросила назад темные волосы. — Не догадываешься? Ну тот, красивый. Молодой, красивый, широкоплечий. Который в тебя влюблен. Как бишь его? Ах да! Гален!

Ее близняшка Маргаритка нахмурилась.

— Он не влюблен в Розу, — строго сказала она. — Это невозможно, он же простолюдин.

Роза отмахнулась от этой ремарки.

— А как насчет Генриха и Лилии? — блеснули вызовом глаза Мальвы.

— Могу я увидеть свой подарок? — перебила ее Роза, не желая бередить старые раны, даже когда Лилии не было рядом.

От мысли о красивом молодом солдате, так похожем на Галена внешне, становилось больно. Роза знала, что сестра все еще оплакивает его. Она многозначительно взглянула на пакет в руках Мальвы, аккуратно завернутый в коричневую бумагу.

Младшая сестра протянула ей сверток, и Роза унесла его на любимый диван у окна. Младшие не поняли, но Мальва сообразила. Со вздохом она утащила их на другой конец гостиной, забрав с собой и близняшку. Там они уселись и во все глаза уставились на Розу.

Поняв, что большего уединения ей не добиться, Роза переключила внимание на пакет. Он был легкий и мягкий под хрустящей бумагой, перевязанный скорее шерстяной ниткой, нежели бечевкой, красивой красной шерстяной ниткой, придававшей свертку праздничный вид. Роза развязала нитку и развернула бумагу. Краем глаза она видела, как Мальва привстала с кушетки и вытянула шею в надежде разглядеть содержимое.

Внутри оказалась шаль. Треугольная паутинка из мягкой белой шерсти, теплая и легкая. На спине был вывязан узор в виде цветка. Роза подняла подарок, и сестры ахнули. На колени ей выпало сложенное письмо. Она позволила шали опасть облачком и развернула послание.

Там говорилось:

Ваше высочество,

дни становятся холоднее, и я подумал, что это может Вам пригодиться. Белый будет хорошо смотреться с Вашими волосами и алым бальным платьем, которое Вы надеваете вечерами. Надеюсь, это не слишком самонадеянно с моей стороны.

Искренне Ваш,
Гален Вернер.

— Что там? — нетерпеливо приплясывала Мальва. — Что он пишет? Любит тебя безумно?

— Мальва, — нахмурилась Маргаритка. — Я тебе говорила...

Но Мальва уже перепорхнула на другой конец гостиной, схватила шаль, поднесла к свету, полюбовалась, положила на место и потянулась за письмом.

— Ну, что там?

Роза отдернула руку с листком, чтобы сестра не достала.

— Там говорится, что погода холодная и, по его мнению, мне не помешает шаль. Конец. — Она сложила письмо и заткнула за корсаж.

Гален изъяснялся очень официальным, почти высокопарным слогом. Но Розе чудилось скрытое тепло. Он знает, какого цвета у нее волосы, и обратил внимание на красное платье. Потратил уйму времени на вязание шали. А еще были встречи в теплицах, букеты для них для всех и роза, сорванная для нее...

— Почему вы смеетесь? — спросила Фрезия, с расстроенным видом входя в гостиную.

— Гален, миловидный младший садовник, влюбился в Розу, — заявила Мальва.

— Что? — Фрезия обвела их сердитым взглядом; похоже, она даже не слышала ответа сестры.

Следом за Фрезией в дверях возникла не менее расстроенная Лилия.

— Вы уже знаете?

— Что знаем? — Роза встала, отобрала шаль у Мальвы и машинально накинула на плечи.

Лилия и Фрезия были очень мрачны.

— Папа только что получил письмо от архиепископа, — произнесла Лилия, побелев как мел. — Нас обвиняют в колдовстве. Если это подтвердится, архиепископ грозит отлучить и отца, и всех нас от церкви. — Она протянула руки к Розе. — Епископ, который привез письмо, уже забрал Анну в свои покои на допрос. По-моему, он думает, что она учит нас заклинаниям вперемешку с географией. Епископ Шелкер пытался его остановить, но ему не хватило полномочий.

Младшие перестали хихикать. Мальва прекратила попытки выдернуть письмо у Розы из-за пояса, а Маргаритка побледнела и пошатнулась. Розе показалось, будто от лица и рук у нее отхлынула вся кровь, и второй раз за этот день она почувствовала, как уходит из-под ног пол.

— Но почему? — Старшая принцесса с трудом подыскивала слова. — Почему?

Именно в этот момент в комнату вошел король Грегор, поддерживая всхлипывающую Примулу. В руке он держал длинный свиток пергамента с печатями и лентами, свисающими с нижнего края. Лицо его было серым и словно восковым.

— Почему? — хрипло переспросил он. — Потому что, по утверждению королей Аналузии, Ла-Бельжа, Бретони, Спании и почти всех остальных стран Ионии, я не только покрываю занятия колдовством, но и прибегнул к нему для убийства принцев, отказавшихся жениться на моих дочерях.

Примула упала без чувств.

Интердикт

Когда новость достигла ушей горожан, Гален сидел у Зельды в булочной, беседуя с Юттой и ее мужем. Его кузина Ульрика с побелевшим, как у привидения, лицом, прежде всегда румяным, вбежала в лавку и резко остановилась у их стола. Она стиснула Галену плечо и с минуту пыталась отдышаться, а они дружно уставились на нее.

— Вы уже... вы уже... вы уже слышали? — Она задохнулась и прижала руку к боку.

— Что слышали? — Гален озабоченно вскочил и усадил девушку на стул.

Ютта принесла еще чашку и налила Ульрике чая из чайника на их столе.

— Несчастный случай? — Галена охватила тревога. — Дядя Райнер? Тетя Лизель? Что стряслось?

Мотая головой, Ульрика взяла чашку дрожащими руками.

— Приехал епископ из Ромы с письмом от архиепископа, — сказала она.

— По поводу? — Гален почувствовал, как в животе шевельнулся ужас.

— Говорят, королевская гувернантка ведьма. Ее уже арестовали! Архиепископ обвинил и принцесс тоже. В письме говорится, будто они с помощью колдовства убили всех этих иностранных принцев. Если они не сознаются, их отлучат от церкви. А если сознаются, то, наверное, будет еще хуже!

После этих слов все застыли в потрясенном молчании. Дамы за соседним столиком явно подслушивали. Одна из них приглушенно вскрикнула и уронила чашку. Новости распространились по другим столикам, и вскоре гомонила вся булочная.

— Более того, — продолжала Ульрика, перегибаясь через стол и в пику истеричкам-соседкам переходя на шепот, — на Вестфалин наложен интердикт.

Ютта задрожала, и муж обнял ее одной рукой, лицо его застыло от ужаса. Гален же так беспокоился за Розу, что едва расслышал.

— Интердикт? — переспросил он наконец, встряхнувшись. — Это же не...

— Именно что да, — выдохнула Ульрика. — Ни мессы. Ни свадеб, ни похорон, ни крестин. Ни для кого.

Ульрика с трудом отпила глоток чая, расплескав половину чашки себе на платье. Она промокнула атлас платком, явно думая о другом.

— Королевская гувернантка ведьма? — нахмурилась Ютта. — Она время от времени заходит сюда к нам на чай. И всегда казалась такой милой.

Гален покачал головой:

— Это уловка ради ублажения иностранных королей, призванная заставить принцесс сознаться в том, чего они не делали. По крайней мере, казнить особу королевской крови по обвинению в колдовстве нельзя. Или можно?

— Нет, но можно заставить короля отречься от престола, — покачала головой Ютта.

Ее муж посмотрел на Галена:

— Как ты думаешь, они виновны? Ты видел во дворце что-нибудь подозрительное?

Перед внутренним взором Галена встала Петуния, с визгом летящая по зеленому лабиринту. Только безумец заподозрил бы в ней ведьму. Или в нежной Фиалке и тихой, грациозной Лилии. «Мальва, конечно, хулиганка, — улыбнулся он про себя, — но и про нее такого не подумаешь.

А ее близняшка Маргаритка и преданная Примула уж точно никакие не ведьмы».

А Роза?

— Невозможно. — Он решительно поставил чашку. — Невозможно, чтобы кто-то из этих девочек… в смысле, принцесс… оказался ведьмой.

— Ну, — произнес муж Ютты, откидываясь на спинку стула, — что-то неладное все-таки происходит. — Это был крупный задумчивый человек с густыми светлыми волосами и добродушным лицом. — Принцессы не говорят, в чем дело, да? А потом приезжают принцы, пытаются выяснить и умирают ни за что ни про что.

Гален стиснул кулаки:

— Они не ведьмы.

Ютта вскинула брови, удивленная его враждебным тоном.

— Однако ты должен признать, что все эти смерти выглядят подозрительно. — Она понизила голос. — И ты, наверное, не застал слухов о королеве Мод.

— Каких слухов? — Ульрика с любопытством взглянула на Ютту. — Мы только знаем, что она очень любила свой сад. — Девушка наморщила носик. — Разумеется, это все исходит от отца, а он любит сад, наверное, больше, чем король и королева, вместе взятые.

— Что ж... — Ютта огляделась, чтобы убедиться, что никто не подслушивает. — У короля с королевой очень-очень долго не было детей. Со временем они стали сильно горевать об этом: никогда не устраивали праздников, королева почти не покидала «при...», то есть сад. Затем однажды они закатили грандиозный бал и принялись рассказывать всем, мол, точно знают, что на следующий год Господь благословит их ребенком. Так и случилось — родилась принцесса Роза. А затем, после долгих лет бесплодия, королева одну за другой принесла двенадцать дочерей. Очень странно, тебе не кажется?

Гален призадумался. Вальтер тоже кое-что говорил о старой королеве. Не могла ли она прибегнуть к колдовству для получения двенадцати дочерей? Ютта права, очень странная история. Они немного посидели молча, потягивая остывший чай и кроша сладкие рулеты, к которым никто не чувствовал аппетита.

— Есть ли у них иной выбор? — высказался наконец Гален. — Король должен сознаться в колдовстве или быть отлученным от церкви? Но если он сознается, то разве его не накажут тем же отлучением? А как же гувернантка? Ее повесят? — Он взглянул на кузину.

Ульрика помотала головой и скривилась. Отец не поделился с ней подробностями, даже если знал их. Все понимали, что у короля Грегора и его двенадцати дочерей мало надежды.

— Я должен узнать больше. — Гален бросил салфетку и встал. Кивнув на прощание Ютте и ее мужу, он взял кузину за руку. — Тебе бы тоже лучше пойти домой. — Он хмуро оглядел охваченных паникой людей, перемещающихся по лавке беспокойными группками и сплетничающих. — На случай, если в городе начнутся беспорядки.

Их друзья тоже поднялись.

— Расскажешь нам, если выяснишь что-нибудь? — встревоженно взглянула на него Ютта.

Гален кивнул и вывел кузину на улицу. Признаки беспокойства читались повсюду. Люди кучками стояли прямо посреди мостовой и разговаривали, заставляя кареты объезжать их. Проходя мимо церквушки, юноша увидел, что она набита битком, даже двери не закрывались. Изнутри слышался голос священника, который торопливо произносил слова мессы, стараясь закончить последнюю службу, прежде чем интердикт вступит в силу.

Чуть дальше стражник приколачивал к верстовому столбу официальное заявление. Люди толпой бросились его читать, толкаясь и ругаясь, когда им наступали на ноги и дергали за шали. Рост Галена давал ему преимущество. Они с Ульрикой встали позади толпы, и он прочел ей вслух официальное сообщение об отлучении.

Все оказалось, как они и боялись: больше никаких служб, свадеб или крещений. Всех умерших надлежало хоронить в неосвященной земле, запрещалось исполнять прощальные обряды. Доверенный представитель архиепископа водворился в королевской резиденции, чтобы наставить Грегора и его дочерей на путь истинный.

— И все из-за каких-то туфель, — пробормотал Гален, когда они поспешили прочь.

— Что? — Чтобы не отстать от кузена, Ульрике приходилось бежать.

— Все это началось из-за того, что ночь за ночью их туфли оказывались протертыми до дыр. — Молодой человек перешел на легкий маршевый шаг и обхватил кузину за талию, помогая ей идти. — Если бы только кому-нибудь удалось выяснить, куда они ходят каждую ночь. — Он в отчаянии покачал головой. — Я пытался, но безуспешно.

Ульрика потрясенно взглянула на него:

— Ты пытался? Как?

Гален посмотрел на нее сверху вниз:

— У меня есть разрешение от короля бродить по садам ночью. Я уже несколько дней проникаю туда, но, насколько могу сказать, принцессы не покидают дворца. — Он откашлялся, чувствуя себя неловко. — Даже ловушки на них ставил.

— Ловушки? Какие ловушки?

— Вешал колокольчики на плющ на дворцовых стенах на случай, если они по нему слезают, рассыпа́л муку перед дверями и под окнами, чтобы они оставили следы. Они должны улетать с крыши, словно совы, чтобы выбраться из дворца ночью без моего ведома.

— Но подумай, сколько других людей пытались вызнать их тайну, — фыркнула Ульрика. — Пытались и погибли. Тебе следует вести себя осторожнее.

— Не волнуйся. У меня есть преимущество, — сказал Гален, когда они прибыли к порогу Орма.

— Какое? — Ульрика опять прижала руку к боку, запыхавшись.

Юноша улыбнулся и приложил палец к губам:

— Это секрет.

Кавалер

Родственники Галена явно решили, что он спятил, но отговорить его не могли. Он умылся и переоделся в лучший свой костюм. На самом деле это были рубашка и сюртук его покойного кузена Генриха, которые тетя Лизель подогнала по более стройной фигуре Галена, но все было совершенно новое и казалось юноше просто прекрасным. Короткие волосы еще не отросли и не нуждались в расческе, но он все равно их пригладил и начистил сапоги. Все это время тетя Лизель и Ульрика стояли в коридоре за дверьми его комнаты и умоляли одуматься.

Ульрика всхлипывала:

— Ты погибнешь!

Он открыл дверь, как раз когда тетя Лизель, ломая руки, собиралась сказать что-то в том же духе. Однако при виде его она умолкла.

— Ты такой красивый. — Она шмыгнула носом и смахнула пылинку у него с лацкана. — И цвет тебе идет. Генриху тоже идут... шли... темные цвета.

Темно-синий сюртук казался почти черным. Гален улыбнулся тетушке и поцеловал ее в щеку, а затем и Ульрику — для ровного счета. В кожаной сумке у него лежал подаренный старухой тускло-фиолетовый плащ. Он никому его не показывал, хотя у него возникало такое искушение — это развеяло бы тетушкины страхи. Но он достаточно слышал о магии и понимал, что не следует легкомысленно доверять посторонним ее тайны.

У подножия лестницы ждал дядя Райнер.

— И что это такое? — Лицо главного садовника раскраснелось, от него пахло вином.

— Я иду во дворец поговорить с королем Грегором, — непринужденно отозвался Гален.

На самом деле он вовсе не чувствовал себя таким храбрым и уверенным, как прикидывался, но война научила его убедительно изображать и то и другое.

— Не в свои сани садишься, парень, — сказал дядя Райнер. — Все эти разговоры по углам с принцессами... я обязан немедленно положить этому конец.

— Думаю, я могу помочь им, — тихо сказал Гален.

— Ты не потревожишь их в час невзгоды, — заявил Райнер, кладя тяжелую руку на плечо племянника. — Завтра утром мы как ни в чем не бывало вернемся к работе, и если я замечу, что ты хотя бы взглянул в сторону принцесс, отправлю перекапывать навоз до Судного дня. — Он жестко стиснул плечо Галена. — Понятно?

Юноша сжал зубы. Не будучи любителем посторонних прикосновений, он ловким движением высвободился из хватки дяди Райнера и прошел мимо старшего родича к двери.

— До свидания.

Дядя прокричал ему вслед, чтобы он больше не смел появляться в его доме, но Гален не обратил на это внимания. Если он не сумеет разрешить эту загадку, то скоро умрет. А если сумеет... ну, возможно, дядя передумает. Юноша не рассчитывал на награду, обещанную принцам. Королю Грегору не нужен зять из младших садовников, и уж всяко он никогда не назначит его своим наследником.

Ворота стояли запертыми, и только грамота короля заставила стражников пропустить Галена. Они посмеялись над его ничтожным титулом вверху письма: «младший садовник Гален Вернер». В ответ юноша спокойно указал, что у одного стражника рожок с порохом дырявый. Поцокав языком на такую небрежность, Гален двинулся по аллее к главным дверям дворца, а на вопли стражников, велевших ему идти в обход, к дверям для слуг, лишь пожал плечами.

Не успел он постучать, как услышал, что кто-то поднимается по ступенькам следом, и обернулся. Вальтер Фогель выгнул бровь при виде парадного наряда юноши.

— Идешь как потенциальный кавалер?

— Как озабоченный друг, — сказал Гален.

— Пойдем сначала со мной, — сказал Вальтер и захромал прочь, не дожидаясь, пока Гален последует за ним.

Он привел младшего товарища в огород возле кухни. Как и сады на территории дворца, его разбили по плану, в виде круга. Грядки с различными травами располагались дольками, их разделяли аккуратно выровненные дорожки. Большинство трав давно были собраны, но Вальтер уверенно прошел к центру круга и разыскал какие-то длинные, похожие на укроп растения, которые еще не срезали.

— Возьми, юный Гален.

Старик вручил юноше побег с удивительно зелеными листьями. Также к стеблю лепились несколько зеленых ягод.

— Что это? — Гален нагнулся ближе и понюхал, но не сумел опознать запах.

— Белладонна, — ответил Вальтер.

Молодой человек отпрянул:

— Почему она тут растет?

— На самом деле весьма распространенный сорняк. — Вальтер взглянул на веточку, словно не понимая такой реакции.

— Но это же яд!

Старый садовник пожал плечами:

— Ну да, яд. Я же не предлагаю тебе ее съесть. Приколи веточку себе под воротник, она защитит тебя от чар.

— Точно?

— Ага, точно. Вот почему я позволяю ей расти. — Вальтер с лукавым видом достал из кармана серебряную булавку. — Сорняк и яд, но также могучее средство, которое очень полезно иметь под рукой. — Он протянул веточку младшему садовнику.

По-прежнему не желая ее касаться, юноша с минуту рассматривал растение. Выглядело оно безобидно, но так же выглядели любые ядовитые растения. С другой стороны, Вальтеру он доверял. И ему точно не помешает защита от заклятия, наложенного на принцесс. Не говоря уже об их злосчастных кавалерах.

Он взял белладонну.

Приколов веточку под лацкан, Гален вернулся вместе с Вальтером к парадному входу дворца. Тут старик торжественно пожал юноше руку и сказал:

— Удачи тебе, Гален. Ты настоящий мужчина. — И захромал прочь по своим делам.

Галену не хотелось торчать на пороге, обдумывая странное замечание Вальтера, поэтому он расправил плечи и громко постучал в высокую парадную дверь. Господин Фишер, дворецкий, снова попытался направить младшего садовника в обход, но Гален лишь улыбнулся и покачал головой.

— Извините, — сказал он дворецкому, — но я здесь по очень важному делу. Мне действительно нужно видеть короля.

Он обошел суетливого коротышку и ступил в вестибюль, огромный и величественный. И такой безупречно чистый, что юноша с трудом подавил желание проверить подошвы башмаков и одернуть сюртук.

— Кухня в той стороне, — фыркнул господин Фишер, указывая вниз, на узкий проход, уходящий вправо.

— Я пришел не на кухню смотреть, спасибо, — отозвался Гален. — И могу ждать сколько потребуется, но должен повидать короля.

— Очень хорошо. — Дворецкий гордо удалился.

Гален уселся на резной деревянный стул у стены зала. Сумку он положил на пол у ног, достал пару спиц и шерсть. Он вязал себе шапочку из зеленой и коричневой пряжи — нынешняя его шапка, синяя, под цвет солдатского мундира, до смерти ему надоела.

Мимо прошли несколько горничных. Глаза у них были припухшие, словно они плакали, а одна сжимала крестик, который носила на цепочке на шее. Гален любезно им кивнул, а они уставились на него.

— Не будете ли вы так добры передать королю, что его желает видеть Гален Вернер? — окликнул он девушек, прекрасно понимая, что господин Фишер удобно «забыл» о его присутствии, но те поспешили прочь.

Спустя примерно час мимо быстро прошел крупный мужчина в лиловой епископской сутане, за ним семенил другой священник, помоложе и помельче. Младший садовник встал и поклонился, но ни тот ни другой на него даже не взглянули. Глаза у епископа были узкие и холодные, а на губах играла кошачья ухмылка. Гален догадался, что это и есть эмиссар архиепископа, а молодой священник — его помощник.

Вскоре после этого юноша услышал голоса и легкие шаги на галерее у него над головой. Он вскочил и обернулся. По галерее шли принцесса

Гортензия и принцесса Сирень. Лица у них, как и у служанок, были заплаканные.

— Ау, ваши высочества, — окликнул их Гален.

Они посмотрели на него, и он отсалютовал вязальными спицами.

— Вы к Розе пришли? — Голос у Сирени дрожал, и она высморкалась в платок.

— Вовсе нет, дамы. Я хочу поговорить с вашим отцом, королем Грегором.

— Зачем? — Любопытство стерло печаль с личика Сирени.

Гален решил, что если уж он рискнул кровом и средствами к существованию, просто придя сюда, то с тем же успехом может поставить на кон все.

— Я пришел просить у короля разрешения попытаться разгадать тайну ваших сношенных бальных туфель. — Голос его громко отдавался в зале с высоким потолком.

— Я знала! — Из комнаты дальше по галерее вылетела Мальва, ее темные кудри подпрыгивали, а платок в руке развевался, словно флаг. — Я знала! Вы влюблены в Розу!

К своему смущению, Гален покраснел.

— Ну, н-нет, я просто хочу помочь, — заикаясь, произнес он, чувствуя, как жар румянца заливает шею и уши.

— Что здесь происходит? — Из той же двери появилась Лилия, хмуря прекрасный лоб. — Мальва, Сирень, Гортензия! Вряд ли сейчас подходящее время для... Чем могу быть полезна? — Она с удивлением взглянула вниз, на Галена.

Юноша сообразил, как, должно быть, выглядит сверху — в своем лучшем наряде с чужого плеча, со свисающим до полу спутанным мотком шерсти.

— Мне нужно поговорить с вашим отцом, если можно, ваше высочество, — сказал Гален, краснея под загаром еще сильнее. — Я...

В дальнем конце галереи появилась Роза.

— Из-за чего сыр-бор? — спросила она ворчливо, затем увидела Галена, умолкла и покраснела.

Плечи ее укрывала белая шаль. Галена охватила радость: она носит его подарок! И ей очень к лицу, как он и думал. То, как она придерживала края, заставляло юношу чувствовать, будто она держит за руку его самого.

Принцесса вскинула подбородок.

— Чем могу быть полезна, э, Гален? — начала она величественно, но на его имени голос ее сорвался.

Поймав себя на глупой улыбке, Гален откашлялся и снова спросил, можно ли ему увидеть ее отца.

У Розы округлились глаза:

— Зачем?

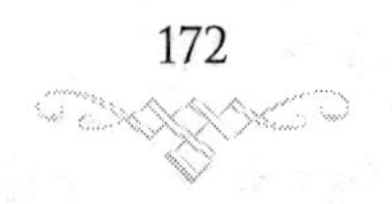

Гален нахмурился. Не думал он, что просьба о свидании с королем настолько шокирует людей. На самом деле он уже встречался с королем дважды, в теплицах.

— Я хотел просить у его величества разрешения попытаться разгадать тайну ваших сношенных бальных туфель, — повторил он.

Роза поморщилась, и Галену показалось, что на лице ее промелькнул страх.

— Я спрошу, — отозвалась она и ушла обратно.

Младший садовник собрал свое вязанье и стал терпеливо ждать, а остальные принцессы смотрели на него с галереи. Из двери, за которой, как подозревал Гален, находились апартаменты принцесс, вышла Фиалка. Она стояла и глядела на него, посасывая палец, пока это не заметила Лилия.

— Фиалка! Прекрати! Ты уже большая!

Сестра вытащила палец у малышки изо рта и обтерла его носовым платком. Девочка захныкала.

— Эй! — окликнул ее Гален. — Хочешь «плясунчик»?

— Нет! Ненавижу плясать! — всхлипнула Фиалка.

— Я имел в виду мячик для игры, ваше высочество, — поправился Гален.

Его поразила реакция девочки, но он скрыл это, роясь в мешке. Он нашел немного ярко-красной шерсти, гораздо более веселого оттенка, чем его зеленый с коричневым, и поднял его повыше.

— Это всего лишь моток пряжи, — заметила Мальва.

Гален подмигнул ей, быстро намотал сотню витков нитки на левую ладонь, разрезал и снял. Затем перевязал посередине и обрезал ножом концы, оставив длинный хвост. Получился пушистый помпон на веревочке.

— Лови! — Он бросил игрушку Фиалке.

Та поймала подарок, с любопытством оглядела и потерлась щекой о мягкую пушистую шерсть. Слез как не бывало. Девочка слабо улыбнулась ему и произнесла, запинаясь:

— Спасибо, господин младший садовник.

Тут как раз вернулась Роза.

— Король примет вас прямо сейчас, — сообщила она официальным тоном, на лице ее застыла маска безразличия.

Вскинув мешок на плечо, Гален поднялся по полукруглой лестнице и присоединился к принцессам на галерее. Он поклонился и последовал за Розой в комнату, где ждал ее отец. Большую часть просторного зала занимал длинный стол и стулья с высокими спинками. За столом сидели несколько человек, во главе находился король. Грегор имел сдувшийся вид пухлого человека, который внезапно похудел; под глазами у него залегли темные круги.

— Как там сад моей жены?

При этих словах один из советников заерзал. Два других повернулись друг к другу и зашептались, один сурово взглянул на Галена, словно считал, что молодой человек попусту отнимает у них время.

— Процветает, ваше величество, — с поклоном ответил Гален. — Зима в этом году очень холодная, но снег неглубок. С Божьей помощью и если весна будет мягкая, мы получим прекрасный ковер крокусов.

Король разразился лающим смехом.

— Похоже, Божья помощь не про нас, сынок. — Он окинул Галена взглядом. — Ты тот молодой человек, который... патрулировал сады, верно?

— Да, сир.

Гален заметил испуг на лице Розы и нескольких советников и догадался, что король мало кому рассказал о его ночных вылазках.

— Есть о чем доложить?

— Только о том, что принцессы не покидают дворца, сир.

При этих словах Гален густо покраснел, а Роза посмотрела на него как на предателя.

Один из советников покачал головой.

— Это мы уже знаем. Дворцовая стража подтвердила несколько месяцев назад, — нетерпеливо сказал он.

Король не отреагировал. Взгляд его переместился на Розу и шаль, которую она натянула на плечи.

— Моя дочь утверждает, что ты, возможно, сумеешь нам помочь.

— Да, сир.

Проигнорировав презрительное фырканье шепчущихся советников, Гален оглянулся на Розу. Брови на обеспокоенном лице сошлись в одну линию, и, когда они встретились взглядами, в ее глазах ему почудилась мольба. Он не смел спрашивать, о чем она думает, поэтому рискнул наудачу:

— Я бы хотел попытаться разрешить тайну бальных туфель изнутри дворца. Как делали покойные принцы.

— Если бы принцессы просто прекратили жеманиться, — произнес один из шептавшихся нарочито громким тоном, — вмешательство младших садовников не понадобилось бы.

Его товарищ хихикнул.

Разгневанный тем, что этот человек смеет говорить о Розе в таком тоне, Гален обратился к нему напрямую:

— Вы действительно полагаете, что принцессы стали бы рисковать своими жизнями и репутацией ради какой-то игры, сударь?

Человек начал открывать и закрывать рот, словно вытащенная на берег форель, глаза его метали молнии. Гален повернулся к нему спиной и снова обратился к королю:

— Ваше величество, если вы дадите мне три ночи, клянусь, я разрешу эту загадку или умру в попытке это сделать.

— Ты определенно умрешь при попытке это сделать, — злорадно влез один из советников. — Погибли люди и получше тебя.

Король с садовником притворились, будто не слышат, однако краем глаза юноша заметил, как потемнело лицо Розы. Грегор изучал Галена, а тот спокойно смотрел ему в глаза.

— Что заставляет тебя думать, будто у тебя есть преимущество перед молодыми людьми, чьи усилия оказались бесплодны? Все они были королевского происхождения, хотя вряд ли это показатель особого ума или ловкости. Не хочу тебя обидеть, молодой человек, но ты получил разрешение бродить по садам ночью, поскольку заявлял, что умеешь нечто недоступное моей страже. Ну и... — Король умолк и развел руками.

— Не сомневаюсь в храбрости принцев, — ответил Гален, хотя, повидав некоторых из них, несколько покривил душой. — И разумеется, я не жду такого же отношения или награды. Но я много лет прослужил в армии вашего величества.

Мне довелось биться в рукопашной и шпионить за аналузцами. Я уже несколько месяцев работаю в Саду королевы и прекрасно знаю внешнюю часть дворца и прилегающих земель. И... — Он заколебался, а потом решил «пожеманиться», как сказали бы советники. — И у меня припасено еще несколько козырей в рукаве. — Он приложил палец к носу и подмигнул.

Советники смотрели кто раздраженно, кто презрительно, но король — просто задумчиво.

— Хорошо же, — сказал он, кивнув. — Готов приступить сегодня?

— Если таково желание вашего величества.

— Таково. Разумеется, мы распространим на тебя все привилегии. Иначе было бы нечестно.

— Ваше величество! — вскочил один из королевских советников. — Вы же не можете...

— Ты присоединишься к нам за ужином, — сказал король Галену, заглушая лепет советника. — И получишь доступ в покои моих дочерей сегодня, в присутствии их служанок, разумеется.

— Разумеется, — склонил голову Гален.

— И если тебе удастся... — Король пожевал губы. — Ладно. Упремся — разберемся.

Юноша поклонился и пробормотал слова благодарности.

— Я сделаю все, что в моих силах, чтобы помочь вам, ваше величество. Вам и вашим благородным дочерям.

— Хорошо бы, — безнадежно отозвался король. — Роза, отведи молодого человека к домоправительнице. Ему понадобится комната на ближайшие несколько дней. Возможно, тебе захочется отдохнуть перед сегодняшним вечером. Ночь будет долгой.

Король выглядел так, словно у него впереди тоже долгая ночь и он не прочь соснуть прямо сейчас.

— Еще раз спасибо, сир, — повторил Гален и с поклоном покинул зал.

Роза последовала за ним.

— Ты спятил? — спросила она, как только за ними закрылась дверь. — У тебя ничего не выйдет, а потом ты умрешь!

Но Гален снова постучал себя по носу и подмигнул, хотя сердце у него колотилось. Его тронуло ее беспокойство за него, но усилием воли он выкинул эту мысль из головы. Неужто он воспользуется бедственным положением ее семьи, тем более пока их пасет архиепископ?

— Ты действительно рехнулся! — Она ринулась прочь по коридору, вскинув голову.

Он подстроился под ее шаг и пошел рядом.

— Думаю, мне и в самом деле следует отдохнуть перед ужином, как предложил ваш отец, — произнес он непринужденно. — Если придется сегодня с вами танцевать, силы мне пригодятся.

Наградой за эту тираду Галену послужил яркий румянец на Розиных щеках.

— Надеюсь, вы оставите мне вальс, ваше высочество? Обожаю вальсы. А вы?

— Уже нет, — коротко ответила принцесса.

Они подошли к дверке в конце длинного коридора. Роза подняла руку, чтобы постучать, но затем снова повернулась к Галену и произнесла, понизив голос:

— Гален, пожалуйста, подумай хорошенько еще раз. Ввязываясь в это, ты подписываешь себе смертный приговор.

Он взял ее поднятую руку в ладони и сжал в кулачок.

— Понимаю. Но я больше не позволю тебе страдать, Роза.

Она закрыла глаза, глубоко дыша. Затем высвободила руку и постучала. Пухлая женщина в белом переднике отозвалась быстро: домоправительница, судя по всему, как раз пила чай в своей личной гостиной.

— Это фрау Крамер, — представила ее принцесса. — Фрау Крамер, этот юный глупец собирается разузнать наш секрет. Пожалуйста, покажите ему его комнату. — И поспешно удалилась, оставив Галена с домоправительницей таращиться ей вслед.

— Так-так, — сказала фрау Крамер спустя минуту, с любопытством оглядев Галена. — Ты не племянник ли главного садовника?

— Да, сударыня.

— Так какого черта ты делаешь в этом проклятом месте? — Женщина печально покачала головой. — У тебя нет надежды. Ни у кого нет. Четыре часа назад они уволокли эту модницу, бретонскую гувернантку. Уж как она брыкалась и вопила!

— Я знаю пару фокусов, — рассеянно отвечал Гален.

Он по-прежнему глядел в ту сторону, куда удалилась Роза. Она заботилась о нем! Правда заботилась!

— Фокусы? Какие такие фокусы? — Домоправительница взглянула на него подозрительно.

— Я невидимка, — заявил он и притворно рассмеялся, приглашая ее принять его слова за шутку.

Женщина не нашла в них ничего смешного.

Первая ночь

Роза не сомневалась, что за ужином сестры будут вести себя ужасно, но ее опасения не оправдались. Кое-кто из девочек считал Галена отчаянно романтичным — ведь он рисковал жизнью ради их спасения. Однако арест Анны и нависший над ними допрос слишком тяжко давили на душу, отбивая охоту дразниться. Присутствие за столом епископа Анжье, эмиссара архиепископа, не добавляло веселья.

Хотя предполагался частный семейный ужин, Анжье сам включил себя в число гостей и теперь восседал в конце стола темной тучей. Гален не пытался завязать беседу. Он спокойно ел и, казалось, не замечал присутствия епископа. Роза с облегчением оценила превосходные застольные манеры юноши: она опасалась, как бы он не опозорился перед Фрезией и Маргариткой — обе принцессы относились к таким вещам весьма щепетильно.

Наконец молчание утомило епископа.

— Вы рискуетс своей бессмертной душой, молодой человек, — злорадно произнес он скрипучим голосом, как будто мысль о предстоящих Галену вечных муках приводила его в восторг.

— Не думаю, ваше святейшество, — отозвался юноша. — Мне так не кажется.

— Вы явились в дом, где практикуют колдовство. Разве это вас не пугает? — Анжье, крупный мужчина без единого волоска на голове, поджал толстые губы. Розе его лицо больше всего напоминало ком теста. — Это должно страшить любого богобоязненного человека.

— Я убежден в невиновности принцесс, — спокойно ответил Гален. — И нахожусь тут исключительно с целью выяснить, какая напасть к ним прицепилась.

Роза восхищалась его самообладанием. Она уже превратила рогалик в мелкие крошки и из последних сил сдерживалась, чтобы не выкрикнуть епископу Анжье какую-нибудь грубость.

А сидевший через стол от нее Гален продолжал:

— Учитывая бдительное присутствие здесь вашего святейшества, душа моя и вовсе вне опасности.

Он перехватил взгляд Розы и улыбнулся.

— Вы улыбаетесь, сударь? — возмутился Анжье. — Улыбаетесь перед лицом творящихся здесь ужасов?

Это стерло веселье со всех лиц. Фиалка заплакала, а Петуния уронила бокал и залила белую скатерть лимонадом.

— Ваше святейшество! — вспыхнул король Грегор. — Ни к чему вести такие разговоры при моих дочерях! Они слишком молоды, чтобы понять...

— Молодость не помешала им творить бесчинства, — перебил его епископ. Затем быстро поправился: — Я хотел сказать, не помешала попасть под влияние этой ужасной гувернантки.

Роза застыла. Она знала, что бедную Анну сделали козлом отпущения, но Анжье ясно дал понять: цель его — опозорить всю семью. Лучше б он оставил Анну в покое и противостоял королю как мужчина мужчине.

— При всем моем уважении, ваше святейшество, — мягко произнес Гален, — единственная вина принцесс, которую вы можете доказать, — это слишком быстро снашиваемые туфли. Никто из умерших в последние месяцы принцев не встретил свою судьбу на вестфалинской земле. Они погибли в результате трагических, однако вполне обычных несчастных случаев. Те, кто не пал от руки другого принца.

Мальва постучала ножом по бокалу, отдавая должное речи Галена. Гортензия одобрительно хмыкнула на звон серебра по хрусталю и принялась стучать по своему бокалу вилкой, склонив голову набок. Она негромко напевала, пытаясь попасть в тон. Сирень, Лилия и Орхидея с облегчением тоже начали постукивать по своим бокалам, стараясь поймать мелодию.

— Девочки! Девочки! — ошеломленно воскликнул король Грегор.

Роза с Лилией переглянулись. Подобное поведение было вызывающе грубым, но Роза понимала: это скорее реакция на потрясения дня, нежели недостаток воспитания. Она просто пожала плечами, не отводя глаз от лица Лилии, а та в ответ еле заметно улыбнулась.

Но для Примулы это оказалось слишком. С момента приезда Анжье она ходила по дворцу, спотыкаясь, как сомнамбула. И теперь спор с епископом и звон серебра по хрусталю сломили ее. Она начала громко всхлипывать в салфетку:

— Прекратите, прекратите!

— Примула! — вскочила Роза.

— Лучше бы мне не родиться! — завыла та. — Лучше бы мы проиграли войну-у! — Она бросила салфетку и выбежала из комнаты.

— Очень интересно, — раздался резкий голос епископа. Он сложил пальцы домиком под подбородком. — Интересно, что она хотела этим сказать?

Его маленькие острые глазки поймали взгляд Розы, и девушка содрогнулась. Быстро взяв себя в руки, она вежливо присела перед отцом, а затем перед епископом.

— Вы меня извините? Не думаю, что Примулу стоит оставлять одну.

— Я, пожалуй, тоже пойду к ней, — сказала Лилия, поднимаясь.

Встали и остальные девочки, а следом — и Гален.

— А мне нелишне приглядеть за ними, — сказал он и поклонился королю и епископу.

Король отпустил их, и они гуськом вышла из зала. Поднимаясь по лестнице в покои сестер, Гален взял Розу под руку. Теплые и твердые мускулы ощущались даже через рукав рубашки. Роза изо всех сил старалась не цепляться за него, как утопающая.

В гостиной юноша устроился в кресле у огня и вынул вязанье. Примула съежилась на диване возле окна, жалобно плача. Роза подошла к ней, села и притянула сестру к себе, а остальные девочки столпились вокруг, сочувственно вздыхая.

От младших, однако, не стоило ожидать длительного проявления участия. Устав суетиться вокруг Примулы, они постепенно отошли поговорить с Галеном. Роза заметила, как бесконечно терпелив с ними юноша. Петуния размотала один из его клубков, чтобы поиграть в «кошачью колыбельку», а он якобы не заметил. Усадил Фиалку на подлокотник и учит малышку вязать.

Роза подошла и опустилась на стул напротив Галена. Он поднял на нее глаза, улыбнулся и вернулся к обучению Фиалки. Та наконец отложила сделанный для нее «плясунчик» и вплотную занялась спицами. Мяукая по-кошачьи, подошла Петуния и принялась обматывать шерстью Розины юбки.

— Итак... — начала Роза и осеклась. О чем говорить? — Каково было на войне? — спросила она наконец, чувствуя себя полной дурой.

По лицу Галена промелькнула тень, и девушка пожалела о заданном вопросе.

— Не... — Он взглянул на склоненную головку Фиалки. — Неприятно.

— Извините, я не хотела бередить старые раны, — произнесла Роза с раскаянием.

— Раны? А вас когда-нибудь ранило? — спросила подошедшая Орхидея; глаза ее округлились от любопытства.

— Несколько раз, — отозвался Гален. — Ничего серьезного.

— А-а, — разочарованно протянула девочка. — Вальтер Фогель потерял ногу. Но он говорит, что не на Аналузской войне.

— Я знаю.

Орхидея поджала губы:

— Как вы думаете, ему было больно?

— Уверен, — мрачно ответил Гален.

— Вы были вместе с вашим кузеном Генрихом? — не отставала принцесса. — Вы видели, как он погиб?

Гален удивился:

— Вы знали Генриха, ваше высочество? Я никогда не встречался с ним.

— Разумеется, — подтвердила Орхидея. — Мы все знали Генриха. Особенно Лилия.

Но Роза перебила ее, прежде чем та успела сболтнуть что-нибудь еще:

— Орхидея, у тебя волосы растрепались. Разыщи-ка Марию, пусть поправит. — Она натянуто улыбнулась Галену. — Мария — наша старшая горничная.

Орхидея, бурча, удалилась в одну из спален, но спустя минуту вернулась и доложила:

— Она спит на кровати Сирени. И храпит.

— О боже. — Роза взглянула на часы. — Неудивительно, уже почти одиннадцать.

— Разве горничные не должны прислуживать вам? — вскинул бровь Гален.

— Ну да, но она не может, потому что... — Заклятие заставило Розу замолчать.

Она захлопнула рот и взглянула на Галена. Тот спокойно глядел на нее без малейших признаков сонливости. Глаза у нее округлились, мысли понеслись вскачь.

Почему он не спит? А вдруг он останется бодрствовать всю ночь? В ее груди затеплилась надежда. Если Гален в силах противостоять сонным чарам, которые действовали на всех их кавалеров, тогда, возможно, он сумеет раскрыть тайну и... что? Погибнуть страшной смертью? Она поморщилась, и ее надежда растаяла.

— Что-то случилось? — спросил Гален, ласково глядя на нее.

— Ой, время! — Фрезия вскочила, едва не сбив Примулу с диванчика у окна. — Мне надо переобуться и... Почему он не спит? — Она в ужасе ткнула пальцем в Галена; затем взяла себя в руки, опустила палец и беспомощно взглянула на Розу.

— Извините нас. Полагаю, мне надо поговорить с сестрами, — улыбнулась Галену находчивая Роза, выпутывая ноги из шерстяных ниток.

Одной рукой она сгребла Петунию, другой — Фиалку и почти бегом удалилась к себе в спальню. Остальные сестры последовали за ней.

— Он не спит! Одиннадцать часов!

— Фрезия, тише, — зашипела Роза. — Да, не спит. Не знаю как и почему, но не спит. — Она огляделась. — Мальва, убедись, что он не подслушивает.

Мальва, ухмыляясь, подошла к двери и приоткрыла ее на волосок.

— По-прежнему сидит в кресле, — шепотом сообщила она. — Однако шерсть отложил и откинулся на спинку... Вот, зевнул!

У Розы возникли некоторые подозрения, но сестрам она говорить не стала.

— Ну, видите! — с облегчением воскликнула Лилия. — Просто Фиалка с Петунией по нему скакали. Это и не давало ему спать. Теперь он заснет, и мы сможем перевести дух.

— Но... — заколебалась Роза, — Что, если он узнает правду? — Даже от произнесения этих слов сердце у нее забилось чаще. — Разве будет так уж плохо?

Все уставились на нее.

— Роза, — осторожно начала Лилия, взяла сестру под руку и отвела в сторонку. — Роза, что ты говоришь? Он ничем не может нам помочь — никто из смертных не может. Он подвергается смертельной опасности. Если узнает правду... — Лилия печально покачала головой. — Страшно подумать, что сделает он, если Гален попытается нам помочь.

— Однако мы нуждаемся в помощи, — тихо, но страстно возразила Роза. — Нам не продержаться в таком ритме еще шесть лет! Даже больные, мы каждую ночь наряжались и плясали до зари. Нам повезло, что мы вообще выжили! Фиалке всего семь. Она танцует каждую ночь с тех пор, как научилась ходить. Клянусь, еще год — и она не выдержит. А ты, ты сможешь так?

— У нас нет выбора, — покачала головой Лилия.

Фиалка начала всхлипывать, и Лилия взяла ее на руки, хотя та была уже слишком большой для подобного обращения.

— Мы должны выстоять. Спорить бессмысленно, и ни Гален, ни кто-то другой нам не поможет. Глупо вообще позволять ему в это лезть. — Лилия помолчала, потом мягко спросила: — Ты понимаешь, что это для него смертный приговор?

Роза помотала головой:

— Нет. Не для Галена. Он не такой, как эти бестолковые принцы. Он умеет и сражаться, и работать. Уж кому, как не тебе, это ценить,

Лилия. Даже если он не найдет способа нам помочь, то сам уцелеет.

— Надеюсь, ты права, — с сомнением отозвалась сестра, но ее щеки чуть порозовели, и в глазах затеплился огонек надежды. — Гален напоминает мне... Генриха.

Роза пожала ей руку.

— Он спит, — доложила Мальва. — Клевал-клевал носом, а теперь вырубился и храпит.

— Хорошо, давайте приготовимся, — сказала Фрезия и бросилась к туалетному столику сооружать прическу.

Через час, когда все сестры завязали бальные туфли и нарядились, Гален крепко спал. Роза подошла к нему и похлопала по плечу, но он продолжал храпеть, и она отвернулась.

Кресло Галена было повернуто к камину, и ковер в центре комнаты оказался у юноши за спиной. Однако Роза нервно наблюдала за ним, пока Лилия открывала тайный проход. Голова молодого человека склонилась к подлокотнику, и если бы он внезапно проснулся, то увидел бы их краешком глаза. Лилия начала первой спускаться по винтовой лестнице, остальные сестры последовали за ней. По-прежнему начеку, Роза замыкала шествие, пока они спускались гуськом в темноту, на полночный бал.

Веточки

Как только голова Розы пропала из виду под полом, Гален вскочил, выдернул из сумки фиолетовый плащ и накинул на плечи. Крепко прижимая сумку к груди, он поспешил следом за принцессами. Портал в полу, закрываясь, задел коротко остриженные волосы юноши, и тот выругался про себя.

Он притворялся спящим, хотя и не представлял, как сумеет закрыть глаза, настолько его снедало возбуждение. Его беспокоило, не слишком ли нарочито он храпит, но, раз начав, он не смел остановиться. И принцессы, похоже, поверили.

Кроме Розы. Она была слишком умна.

Когда она подошла потрогать его за плечо, Гален перепугался, как бы девушка не заметила, что он подглядывает за ними из-под ресниц, а когда она отвернулась, от облегчения он едва не позабыл продолжать храпеть. А затем случилось невероятное: ковер превратился в уходящую в пол лестницу.

Роза вдруг остановилась, и Гален чуть не налетел на нее.

— Что это? — Голос ее осип от страха; она резко обернулась, и юноша напрягся, но принцесса смотрела прямо сквозь него.

— В чем дело? — спросила Лилия из головы колонны.

— Мне показалось, я слышала шаги. Тяжелые шаги, — отозвалась Роза. — У меня такое ощущение, будто за мной кто-то идет.

Лилия подняла фонарь повыше.

— Никого там нет, Роза. Да и откуда?

Она продолжила спуск, остальные принцессы последовали за ней.

— Наверное, просто сквозняк, — вздохнула старшая.

После этого Гален старался красться по ступеням бесшумно, дыша в воротник плаща, чтобы не дуть Розе на шею. Наконец они добрались до подножия золотой лестницы, и у Галена отвисла челюсть, так его поразил открывшийся вид.

Вокруг царила непроглядная тьма, которую не мог разогнать слабый фонарь, но прямо перед ними высились ворота из серебра, украшенные жемчужинами величиной с голубиное яйцо. Забор отсутствовал, только ворота, а за ними виднелся лес странных бледных деревьев.

Лилия распахнула створки, и принцессы прошли между ними. Гален почти наступал Розе на пятки. Он сделал шаг в сторону, когда она повернулась, чтобы закрыть ворота и задвинуть выложенный жемчугом засов, а затем все двинулись вперед через лес.

Обнаружить лес в этом странном подземном мире было само по себе чудно, но вдобавок он оказался необычным. Деревья были из сверкающего серебра, ветви их уходили высоко в черноту над головой и светились собственным светом. Листья шелестели и позванивали, колыхаемые ветерком, который почему-то не касался людей: Плащ Галена не потревожило ни малейшее дуновение воздуха, волосы у принцесс не развевались.

Юноша изумленно озирался, но принцессы шли молча, не обращая внимания на деревья. Он сообразил, что бедняжки наверняка видят лес каждую ночь и он их больше не занимает, если вообще когда-нибудь занимал. Однако спустились они сюда явно не затем.

Безмолвные деревья поредели и кончились, и впереди открылось громадное озеро. Под ногами мерцал грубый черный песок, а набегавшая на берег вода отливала черным, фиолетовым и темно-темно-синим. Двенадцать золотых лодок с фонарем на носу у каждой лежали на песке, охраняемые двенадцатью высокими статуями.

Затем одна из статуй шевельнулась, и Гален опять изо всех сил стиснул зубы, чтобы не выругаться вслух. Это оказались не камни, но живые существа: высокие молодые мужчины с суровыми чертами лица и черными волосами, облаченные в вечерние костюмы оттенка эбенового дерева. Гален, однако, не торопился причислять их к роду человеческому. Было что-то не так в их манере держать себя, в их одежде, в холодном выражении лица. Юноша с испугом признал в одной из фигур тварь, которую девушки называли Рионином, пытавшуюся забраться к принцессам в покои несколько недель назад.

«Наверняка ничто человеческое не способно обитать в этом бессолнечном мире», — подумал он.

Кем бы ни были Рионин и его спутники, к смертным они отношения не имели.

Одна за другой принцессы принимали протянутые руки и забирались каждая в свою золотую лодку. Дождавшись, пока темноволосый кавалер Розы усадит ее на носу и приготовится столкнуть лодку в странное озеро, Гален шагнул на борт и устроился на пустой кормовой банке.

Каждый из безмолвных сопровождающих сел на среднюю скамью и поднял золотые весла. С безупречной синхронностью двенадцать лодок двинулись по озеру, кавалеры гребли молча, как один.

Однако их точность несколько нарушалась гребцом Розы. На полдороге через озеро он приотстал и, судя по издаваемым звукам, слегка запыхался.

— Что-то не так? — Роза, упорно смотревшая вперед, перевела взгляд на своего сопровождающего.

— Сегодня лодка кажется чуть тяжелее, — отозвался гребец; голос у него был низкий и ровный.

Роза покраснела.

— Извини, — прошептала она.

Гален подавил смешок.

Спустя некоторое время Гален разглядел впереди мерцающие в черноте огни. Они практически не освещали озеро, но багряные вспышки стремительно приближались. Значит, скоро они окажутся... где-то.

Золотые лодки снова заскрипели днищем по крупном черному песку, и Гален наконец увидел источник странного света — громадный дворец из гладкого черного камня. Мерцающие в окнах свечи отливали пурпуром, поскольку стекла были тоже черные.

Принцессам по очереди помогли выйти из лодок, и они одна за другой прошли через высокие арочные двери в черный дворец. Гален последовал за ними, ступая след в след с Розой. Ладони у него взмокли от пота, но он сосредоточился на узкой спине девушки и напомнил себе, что невидим для холодных глаз ее кавалера.

Внутри дворца преобладали те же цвета, что и в подземном озере. Стены покрывали багровые, синие, серые и черные гобелены. Пол и потолок сияли антрацитовым блеском, а шелковая обивка серебряной мебели повторяла траурные оттенки шпалер.

Они миновали длинный вестибюль и ступили в бальный зал, где в полированном черном полу, выложенном узорами из серебра и ляпис-лазури, отражались аметистовые люстры. Галерея оркестра располагалась так высоко над головой, что Гален едва различал силуэты музыкантов. Между гостями сновали слуги в черных ливреях с подносами, уставленными серебряными кубками с вином. Когда прибыли принцессы, все разговоры прервались, и девушек встретили аплодисментами. Мрачные кавалеры поклонились, принцессы присели в реверансе, и музыканты заиграли быструю мелодию. Розу и ее сестер унесло прочь в танце, а Гален, одинокий и невидимый, остался наблюдать.

Радуясь, что никто не видит, как он таращится с разинутым ртом, словно деревенский дурачок, Гален отправился бродить по залу. Удивительно, что сестры так не хотели сюда: на их лицах застыло натянутое выражение, а Фиалка откровенно плакала. Какая юная девица не полюбила бы танцевать ночи напролет в таком роскошном замке, в объятиях красивого кавалера!

Но, прогуливаясь по краю танцевальной площадки, Гален начал понимать, что здесь не так хорошо, как показалось сначала. Остальные гости улыбались, потягивали вино и танцевали, но в их улыбках сквозила некая... неправильность. Губы растягивались слишком широко, и зубов под ними оказывалось многовато. Глаза мерцали, как драгоценности на их нарядах, и кожа была слишком белая и гладкая.

Да и с принцессами что-то было не так. Они танцевали. Они ели изысканные пирожные и необычные фрукты.

Но не улыбались.

Примула молча плакала. Она кружилась в объятиях высокого партнера, а по щекам у нее катились слезы. Фиалка шумно всхлипывала и время от времени бросала танцевать и наступала партнеру на ноги. Тот терпел с привычно-страдальческим видом, а после нескольких танцев просто взял малышку на руки и понес вокруг площадки, покачиваясь в такт музыке.

— Они что, вынуждены танцевать? — произнес юноша вслух, не подумав.

Белолицая женщина рядом с ним прищурилась и уставилась прямо на то место, где стоял Гален. Затаив дыхание, он попятился.

И тут ему вспомнились слезы Фиалки, когда он предложил ей «плясунчик». И болезнь Розы — она тянулась несколько месяцев, а туфли ночь за ночью оказывались стоптаны. Наверняка принцесса не стала бы спускаться сюда танцевать в разгар лихорадки, имейся у нее выбор. В единственную пропущенную ночь в сад заявился Рионин сотоварищи.

Но почему? Кто заставляет их приходить сюда?

Час спустя он получил ответ на свой вопрос. Музыка смолкла, и все танцоры выжидательно повернулись к высоким дверям в дальнем конце зала. Прогремели долгие фанфары, створки распахнулись — и в зал вступил высокий мужчина в длинном черном одеянии и иссиня-черной короне.

— Да здравствует Подкаменный король! — прокричал лакей и трижды стукнул серебряным посохом об пол. — Да здравствует король!

— Да здравствует король! — нараспев отозвались гости.

Хозяин дворца шагнул в зал, и Гален сглотнул внезапно образовавшийся комок в горле. Если улыбки и глаза придворных просто нервировали юношу, то при виде короля его прошиб холодный пот.

Кожа у здешнего владыки была белая, как бумага, а ростом и худобой он превосходил всех, кого Галену доводилось видеть. Повелитель подземного царства обвел свой двор глазами, похожими на осколки обсидиана. Тонкие губы растянулись в жуткой пародии на улыбку, обнажив острые белые зубы.

— Как приятно, что будущие невесты моих сыновей наконец восстановили силы, — раздался леденящий душу голос. — Вид царственного букета в цвету всегда так освежает. — Его холодный взгляд задержался на Розе. — Особенно наша дорогая Роза.

Гален машинально потянулся к бедру, где он некогда носил пистолет. Однако юноша сумел взять себя в руки и расслабиться, опасаясь выдать свое присутствие.

Подкаменный король. Роза и ее сестры — пленницы Подкаменного короля. У Галена чуть не подогнулись колени. Не было в Ионии такой матери, которая не пугала бы детей именем Подкаменного короля, добиваясь послушания, и не молилась бы над тем же ребенком, чтобы он никогда не повстречался с этим воплощением зла.

Он служил предметом ночных кошмаров и баек у костра. Волшебник, настолько погрязший во зле, что перестал быть человеком, превратив себя и своих наиболее преданных последователей в нечто иное — бессмертное и чудовищное. Согласно легенде, много веков назад все страны континента Иония восстали против него и бросили злодея в подземную тюрьму. Непомерное могущество колдуна не позволило уничтожить его совсем, и единственным выходом стало заточение его в бессолнечном царстве, где он правил бы только своими последователями. Для совершения великого подвига собралась армия белых магов, и многие из них заплатили за это жизнью. Легенду эту знали все.

А теперь она обернулась правдой.

Подкаменный король проплыл по полу к помосту и воссел на высокий трон.

— Пожалуйста, продолжайте танцевать. Вы же знаете, как я люблю танцы.

Придворные захихикали, а король хлопнул узкими ладонями. Музыканты грянули джигу, и Подкаменный замер. Его длинные серебристые волосы свисали по обеим сторонам костистого лица, бездонные глаза следили за принцессами.

Партнер Фиалки наконец сдался и позволил ей посидеть на стуле у стены, пригласив вместо нее на танец придворную даму с жестким лицом. Гален проскользнул через зал и опустился на пустой стул рядом с юной принцессой.

— Ф-фиа-алка-а, — прошептал он глухим голосом. — Не ш-шевелис-сь. Я до-о-брый ду-ухх!

Фиалка выпрямилась и всхлипнула, глаза ее заметались в поисках источника звука.

— Кто здесь?

— Я до-о-брый ду-ухх, — повторил Гален. — Я хочу-у помо-очь тебе-е.

Девочка закусила губу, в уголках покрасневших глаз заблестели слезы. Гален потянулся к ней всем сердцем. Бедное дитя явно находилось на грани нервного срыва. Но он не посмел обнять ее. Во-первых, добрые духи не носят плотных шерстяных сюртуков, а во-вторых, он не хотел, чтобы кто-то заметил, как плечи Фиалки станут невидимыми.

— Почему ты приходишь сюда? — спросил Гален.

— Мы вынуждены, — сморщив нос, ответила девочка, как само собой разумеющееся, затем моргнула и снова огляделась в поисках доброго духа.

— Но почему?

— Наверное, из-за мамы.

— А что-о сделала твоя-а ма-а-ама-а? — надавил Гален.

— Фиалка, вставай! — К ним подлетела встревоженная Мальва, схватила младшую сестренку за руки и стащила со стула, нервно оглядываясь через плечо туда, где стоял ее партнер, беседуя с Фиалкиным. — Ты должна танцевать дальше!

— Я устала, — заскулила Фиалка.

— Все устали, — рявкнула Мальва. — Но мы все равно должны танцевать.

— Но Телинрос сказал...

— Телинрос ничего не решает, — сказала Мальва. — Взгляни на короля! — Она дернула подбородком в сторону монарха, который нахмурился, поглядывая на них. — Ты просидела целый танец — большего никому из нас не позволено. Идем. — И сестра повела обмякшую малышку обратно к ее партнеру.

Со своего стула Гален наблюдал, как Мальва и Фиалка снова пустились в пляс. Розу кружил ее кавалер, и юноша мельком прикинул, не подставить ли темному принцу подножку. Однако передумал, ведь Роза могла упасть и ушибиться.

Он уселся поудобнее и продолжил наблюдение. Блестящий двор кружился и кружился в танце, и взгляд юноши притянуло к королю. Подкаменный сидел на троне еще прямее. Глаза его сияли, а белые волосы и кожа приобрели серебристый оттенок. По мере того как его придворные и принцессы бледнели от усталости, король, казалось, становился сильнее, лицо его почти светилось.

— Он питается их жизненной силой, — прошептал Гален, борясь с тошнотой.

Как могла королева Мод ввязаться в такое? Неужели она была одной из его придворных? И почему она отдала в рабство Подкаменному королю дочерей?

Он не мог больше пристально разглядывать монарха и даже танцоров. Его мутило от зрелища в целом. Юноша прикрыл глаза, и теперь ему были видны только проносящиеся мимо ноги танцующих.

Некоторое время спустя удар большого гонга разбудил Галена. Оказывается, он ухитрился задремать. Лихорадочно озираясь, юноша заметил Розу, а затем быстро пересчитал остальных, дабы убедиться, что все принцессы на месте. Помолодевший король поднялся с трона, и придворные собрались перед ним. Принцессы и их партнеры вышли вперед и встали на расчищенном для них пространстве перед возвышением.

— Еще одна ночь миновала, — нараспев произнес король. — Высоко над нами в смертном мире в королевстве Вестфалин занимается день. Две услуги даровал я королеве Мод в обмен на двадцать четыре года танцев в моем дворце. Она отдала мне четырнадцать лет, прежде чем умерла, осталось пять лет и пятьдесят три дня оплаты. И тогда, дети мои, вы женитесь на своих принцессах, и они водворятся здесь, к нашему вечному восторгу.

Двор захлопал в бледные ладоши и разразился дребезжащим смехом. Темные принцы с собственническим видом улыбнулись своим партнершам, но девушки просто ждали, усталые и молчаливые. Гален пробрался по краю толпы и встал у Розы за спиной. Она чуть повернула голову, словно уловила его приближение, но ничего не сказала.

Затем темные кавалеры повели принцесс прочь — по длинному коридору, через высокие двери, по хрустящему черному песку, к золотым лодкам. И снова Гален запрыгнул в лодку следом за Розой, и снова ее кавалер отстал от остальных, чем был весьма недоволен.

На другом берегу озера принцы помогли девушкам выбраться из лодок, но не сделали ни шагу в сторону леса. Принцессы продолжили путь одни, не оглядываясь, и ступили под сень серебряных деревьев.

Идя следом за Розой, Гален раздумывал, что же он скажет королю Грегору. Как объяснить, куда принцессы ходят каждую ночь? Как сказать королю, что его покойная, горько оплакиваемая жена заключила сделку с этим странным, холодным королем подземного царства? Принцессы не смогут подтвердить его рассказ, и, скорее всего, король ему не поверит.

Когда они проходили под сияющими потусторонними деревьями, Гален отломил пару веточек. Раздался резкий треск, и Роза так же резко остановилась и обернулась в поисках источника шума.

— Что это было?

— Роза? — Шедшая впереди с фонарем в руке Лилия обернулась и посмотрела вдоль вереницы девочек. — С тобой все в порядке?

Гален замер совершенно неподвижно, спрятав отломки под плащом. Они оказались холодными, очень скользкими и твердыми. Не знай младший садовник наверняка, откуда они взялись, он решил бы, что они действительно из серебра, а к дереву вовсе не имеют отношения.

— Ты слышала? — Роза прищурилась на деревья. — Такой громкий треск!

— Я ничего не слышала. — Обычно нежный голос Лилии звучал нетерпеливо. — Идем! Служанки и твой садовник скоро проснутся.

— Я тоже слышала, — подала голос Орхидея. Она шла сразу перед Розой. — Наверное, ветка сломалась.

Все сестры посмотрели на черную землю вокруг деревьев, но ни серебряного блика от сломанной ветки, ни даже упавшего листа не увидели. Петуния опустилась на четвереньки и поползла вокруг ближайшего ствола.

— Петуния, прекрати! — Сирень подняла самую младшую на ноги. — Ты же испачкаешься!

Черная грязь, призрачно искрившаяся в свете фонаря Лилии, покрывала юбку Петунии и носки ее разбитых бальных туфель.

Маргаритка приплясывала на месте.

— Нам надо идти, — взмолилась она. — Мы никогда так не опаздывали: лестница уже на месте. А вдруг она исчезнет, прежде чем мы доберемся до дому?

Сунув веточки в кошель на поясе, Гален широким шагом двинулся за принцессами, а они рысью припустили через лес и проскочили под усыпанной жемчугом аркой. Роза захлопнула за собой ворота, едва не прищемив Галену подол плаща, когда он проскальзывал между створками. Юноша с ужасом вспомнил, что они ожидают увидеть его спящим в кресле перед камином, когда выйдут из-под пола. Проскочив мимо принцесс, отчего у Лилии замерцал фонарь, он понесся по золотой лестнице через две ступеньки, стараясь не топать слишком сильно.

— Что это? — вскрикнула одна из принцесс, когда он пробегал мимо.

Гален сдернул плащ и затолкал его в сумку, одновременно падая в кресло. Он тщательно выровнял сбившееся дыхание и захрапел, наблюдая из-под ресниц, как показалась из черного квадрата в полу голова Лилии. Девушка тут же подошла и внимательно посмотрела, проверяя, не проснулся ли он. Когда на лицо упал свет фонаря, юноша всхрапнул и поерзал в кресле, но глаз не открыл.

— Спит? — шепнула Роза.

— Да, — шепнула в ответ Лилия.

Гален слушал, как они шелестят вокруг, помогают друг другу раздеться и расходятся по отдельным спальням в надежде ухватить несколько драгоценных часов сна. Когда принцессы покинули гостиную, он вытащил плащ и аккуратно сложил его, чтобы не торчал из сумки. Затем потянулся и поудобнее устроился в кресле. Надо и самому немного поспать. Ему о многом предстояло подумать, но сейчас он слишком устал.

— Не знаю, как они ухитряются проделывать это ночь за ночью, — пробормотал юноша, уплывая в сон. — Бедная Роза...

Спицы

Служанка разбудила Галена, в глазах ее светился вопрос. Гален помолчал, а затем помотал головой, изобразив на лице грусть. Она вздохнула и похлопала его по руке. Он прошел по коридору в отведенную ему комнату, чтобы освежиться перед завтраком.

Трапеза снова прошла тоскливо: на одном конце стола восседал с суровым лицом епископ Анжье, а на другом — печальный король Грегор. Доктор Келлинг также присоединился к ним, в глазах его читалась тревога. Все трое то и дело поглядывали на Галена, выискивая малейшие признаки успеха, но юноша ел и как можно непринужденнее болтал с принцессами. Переодеваясь у себя в комнате, он принял решение не говорить ни слова, пока не минует третья ночь.

Серебряные ветки давали некоторое доказательство того, где он побывал, но как поступить дальше? Гален подозревал, что бесполезно просто рассказать королю, куда ходят его дочери. Заклятие на них лежало действительно мощное, и оно управляло ими не только под землей, но и наверху. Иначе они бы давно уже рассказали все отцу. За три ночи слежки юноша надеялся узнать достаточно, чтобы выработать план освобождения.

— Гален, пожалуйста, зайди ко мне в кабинет, — устало произнес король Грегор, когда завтрак кончился.

— Я составлю вам компанию, — немедленно вызвался Анжье.

Он поднял свою тушу на ноги и вперед короля и Галена прошествовал через зал в личный кабинет правителя. Доктор Келлинг последовал было за ними, но Анжье жестом остановил его. Грегор начал возражать, однако доктор покачал головой.

Король уселся за стол, а епископ занял удобное кресло перед ним. Гален остался стоять. Солдатская выучка пригодилась и здесь, как много раз прежде: он нервничал, не знал, что делать дальше, но никак этого не показывал. С бесстрастным лицом и прямой как палка спиной Гален доложил королю, что, войдя в покои принцесс, он некоторое время сидел и разговаривал с ними. Затем, незадолго до полуночи, уснул и не просыпался до рассвета. Принцессы находились в своих постелях и тихо-мирно спали, но их туфли снова были стерты до дыр.

Король вскинул руки в отчаянии. Останься Гален с королем один на один, он не устоял бы перед искушением подарить бедняге намек на надежду, но отказывался делать это в присутствии Анжье. Епископ говорил по-вестфалински с еле заметным акцентом, и только за завтраком Гален сообразил, что акцент-то аналузский. Хотя епископ, как слуга церкви, наверняка выше политических дрязг, это все равно нервировало Галена. Юноша с поклоном покинул кабинет и отправился на поиски Вальтера.

Одноногий садовник убирал листья из фонтана, выполненного в виде печальной русалки. Воду спустили, иначе, замерзнув, она разорвала бы трубы, и в опустевшей мраморной чаше скапливались опавшие листья и прочий мусор.

Старик приветствовал Галена кивком и поинтересовался:

— Как поживают наши принцессы?

— Не очень, — прямо ответил Гален, засучил рукава своего парадного сюртука и наклонился, чтобы помочь собрать листья в корзину.

Вальтер остановился и присел на край фонтана.

— Белладонна подействовала, — констатировал он.

— Похоже на то. Скажи мне, что тебе известно о черном дворце глубоко под землей, охраняемом воротами из усыпанного жемчугом серебра, окруженном лесом из серебряных деревьев и построенном на острове посреди черного озера?

Обветренное лицо Вальтера побелело.

— Глупая женщина, — выдохнул он. — Она заключила сделку *с ним*.

— Роза и остальные... — Гален осекся. — Так тебе известно об этом? — Он сердито воззрился на Вальтера. — Почему ты им не помог?

Вальтер покачал головой:

— Не догадывался, насколько далеко зашла Мод. Я знал, что она призвала помощь из какого-то невидимого источника. Но не думал, что это *он*. — Вальтер уставился вдаль, постукивая деревянной ногой по основанию фонтана.

Гален провел ладонью по ежику волос.

— Стало быть, королева Мод действительно...

— Хотела детей так сильно, что заключила договор с Подкаменным королем? — Вальтер поцыкал зубом. — Похоже на то. И наверняка снова вмешалась, надеясь обеспечить нам победу в войне.

Гален замотал головой, отказываясь верить этим словам.

— Но мы тяжко сражались. Потребовалось двенадцать лет...

— Никто никогда не говорил, что *он* играет честно, — перебил его Вальтер. — Твари без чести — без души — никогда не играют честно. Да и с чего бы? Вот этого-то Мод и не могла понять. Просишь у такого существа сильных детей, он обещает тебе дюжину, и ты заключаешь сделку. И рожаешь двенадцать девок. Просишь его покончить с войной, и он охотно соглашается... а потом тратит на это двенадцать лет.

Гален нахмурился:

— Но когда королева умерла, разве ее сделка не утратила силу?

— Нет, если это касается *его*. Отсутствует и не может платить — заплатят ее дочери. — Вальтер колебался. — Значит, они танцуют для него?

Гален кивнул:

— Они танцевали с полуночи до рассвета с двенадцатью высокими юношами. Полагаю, это его сыновья.

Старик негромко присвистнул.

— Так вот в чем дело, — задумчиво произнес он, продолжая глядеть вдаль. — Видимо, он с самого начала задумал их заполучить.

— Вальтер, — сказал Гален, не уверенный, стоит ли спрашивать, — откуда ты все это знаешь?

Старик взглянул на молодого садовника. Весть о том, что Подкаменный король завладел принцессами, потрясла его, и он внезапно показался юноше неизмеримо старше.

— Я не всегда ходил в садовниках, Гален Вернер, — сухо ответил он.

— Тогда скажи мне, как положить этому конец.

— В одиночку? Когда ему помогают двенадцать сыновей? — Вальтер покачал головой. — Это потребует времени.

— Нет у нас времени, — возразил Гален. — Роза... Малютка Фиалка... Их время на исходе, Вальтер.

— Не думал я, что Мод зашла так далеко, — повторил старик скорее для себя, чем для Галена. — И, говоришь, теперь это каждую ночь... Видимо, он нуждается в них все сильнее или готовится к чему-то. Нас осталось слишком мало, нам не запечатать его темницу более надежно...

— Вальтер! — Гален осторожно потряс садовника за плечо, затем отогнул лацкан сюртука, показал увядшую веточку и объяснил: — По крайней мере, мне понадобится еще белладонна. На всех, кто заходит ночью в покои принцесс, наложены сонные чары. На принцев тоже подействовало, но на меня — нет.

— А! — проницательно кивнул Вальтер, глаза его снова прояснились. — Стало быть, вот как принцессы ускользали от своих нянек. — Он нахмурился. — Но разве девочки ничего не заподозрили? И как тебе удалось проследить за ними?

— Поначалу заподозрили, — признал Гален. — Но потом я прикинулся спящим, и это их удовлетворило. А вот как я сумел проследить за ними... это секрет.

Вальтер кивнул:

— Хорошо иметь секреты.

Вместе с Галеном они набрали корзину листьев и направились к сараям. Гален высыпал листья на компостную кучу и убрал корзину. Затем Вальтер поманил его, и юноша последовал за ним в аптекарский огород.

Старик сорвал новую веточку белладонны взамен увядшей. Затем отломил остро пахнущий росток сухого базилика и тоже дал Галену.

— Белладонна отведет чары с глаз и поможет видеть истину. А базилик отгоняет зло, — пояснил он.

— Спасибо.

Юноша выбросил увядшую белладонну и аккуратно приколол на ее место свежую. А колючий базилик спрятал в нагрудный карман сюртука.

Пока он возился с одеждой, кошель на поясе качнулся вперед, и одна из серебряных веточек зацепилась за рубаху. Ругаясь, Гален высвободил веточку и попытался надежнее пристроить ее в затягивающемся на шнурок мешочке.

— А это что? — прищурился Вальтер.

— Маленький сувенир из серебряного леса, — отозвался юноша.

Оглянувшись, не подсматривает ли кто, он вытащил веточки из кошеля и показал Вальтеру. Вертя их так и сяк в скрюченных пальцах, старик поджал губы и протянул:

— Интересно. Это не часть его царства, по крайней мере, не изначальная. — Он вернул отломки Галену и повторил: — Интересно.

— Откуда ты знаешь, как выглядит его королевство?

Вальтер просто повторил слова, которые говорил Галену раньше:

— Хорошо иметь секреты. — Он помолчал. — Но вот что я скажу: серебро имеет силу. И имена тоже.

— Имена и серебро... — Гален присмотрелся к веточкам. Они были длинные и прямые, в местах отлома виднелись серебряные волоконца, представлявшие собой странный гибрид металла и дерева, невиданный прежде в мире смертных. — Надо было брать куски побольше, стрел бы наделал. Или копье. Всяко полезнее, нежели просто сюрприз для короля Грегора. — Он фыркнул. — Однако из них получатся красивые вязальные спицы.

— Держи их под рукой, — посоветовал Вальтер. — Никогда не знаешь, что может пригодиться во дворце.

Что-то в его словах показалось Галену знакомым. Фраза напомнила о чем-то, и он на миг застыл, вспоминая, но как раз в этот момент к ним подошел, хрустя гравием, дядя Райнер. Лицо его потемнело при виде племянника, стоящего рядом со старым садовником.

— Разве тебе не полагается находиться внутри? — требовательно спросил он. — Или тебя уже вышвырнули?

— Нет, дядя, — уважительно ответил Гален. — Я только вышел переговорить кое о чем с Вальтером. — Он незаметно сунул веточки в кошель и прикрыл полой сюртука.

— Здесь тебя больше ничего не касается! — рявкнул Райнер. — Убирайся!

Гален вежливо кивнул дяде и Вальтеру и убрался.

Вернувшись во дворец, он обнаружил, что у младших принцесс ведет уроки священник, подручный Анжье. Старших девочек допрашивал сам епископ в присутствии отца. Неприкаянный Гален ушел к себе и хотел закончить шапочку, но серебряные ветки не шли у него из головы. Можно выстругать дротики, но обстругивание изменит начальную форму, и в них уже никто не признает ветки, а следовательно, они потеряют ценность в качестве улики.

— Из них получатся прекрасные вязальные спицы, прямо как есть, — произнес Гален вслух.

Он долго просчитывал. Нечего и думать сражаться с двенадцатью кавалерами в одиночку. Помимо численного перевеса, неизвестно, какую поддержку окажет им отец. Надо разрушить связывающие принцесс чары. Гален не знал, в чем именно они заключаются, да и в магии ничего не смыслил. Вот бы просто взять и не пустить их на бал... но тогда Подкаменный король, скорее всего, снова пошлет за ними. И вряд ли на сей раз Рионин и остальные принцы отступят перед рябиновым хлыстом.

Наверняка есть способ уничтожить их или хотя бы не дать больше никогда подняться на землю.

Обдумывая эту проблему со всех сторон, Гален сообразил, почему слова Вальтера показались ему знакомыми. Та старуха...

«Когда окажешься во дворце, очень пригодится».

Он разломил серебряные веточки пополам — получилось четыре кусочка, каждый длиной примерно с ладонь. Ножиком убрал заусенцы и сколы, которые могли цепляться за пряжу. Затем вытащил подаренный старухой черный клубок.

«Черная — как железо...»

Гален начал вязать.

Вторая ночь

День у Розы не задался. Болела голова, вернулся кашель. И в довершение обеих бед ее заставили провести весь день в зале совета, то отвечая на вопросы, то слушая нотации епископа Анжье. От его голоса у нее разламывалась голова, а горло саднило от сдерживаемых приступов кашля.

Отлучение целой страны — дело серьезное, и последствия не заставили себя ждать. Весь день поступали неутешительные доклады. В других городах, где зачитывали эдикт архиепископа, поднялись мятежи. В Бруке многие паковали вещи, надеясь уехать в любую соседнюю страну, готовую их принять. Беженцы разграбили несколько бакалейных лавок и извозчичьих дворов, а в дворцовые ворота и в приметный розовый дом Орма полетели камни.

Роза надеялась, что младшим сестрам удастся избежать разглагольствований епископа, поскольку уроки никто не отменял. В какой-то степени они действительно провели это время за учебой. Но епископ, похоже, дал своему помощнику совершенно четкие указания, чему нужно обучать принцесс.

— Я думала, что умру! — патетически воскликнула Мальва, бросаясь навзничь поперек Розиной кровати. — Мало того что вместо Анны нас учит костлявый священник, ты бы слышала, чему он учит! Математика — мимо. Естествознание — мимо. История — религиозная история и жития святых. Литература — снова жития святых. — Она накрыла лицо подушкой и глухо взвыла.

— В религиозном образовании нет ничего дурного, — выговорила ей, входя в комнату, Примула.

— Есть, когда тебя не учат ничему другому, — возразила Гортензия, выдергивая нитки из краев носового платка, и тихо добавила: — Музыки больше не будет. Вообще никакой. Отец Михаэль говорит... он говорит, мы недостаточно серьезны, чтобы изучать даже религиозную музыку. — Она закусила губу, глаза ее наполнились слезами. — Он запер мое пианино и забрал ключ.

— Ой, бедная ты моя! — Роза обняла Гортензию, и младшая девушка всхлипнула у нее на плече.

— Это просто кошмар, — фыркнула Мальва, отбрасывая подушку. — Ужасный, гнусный тип! И аналузец к тому же, как и епископ. — На лице ее появилось расчетливое выражение. — А вам не кажется, что Анжье просто пытается унизить нас, потому что они проиграли войну, а?

Примула вскочила, шокированная.

— Архиепископ не послал бы человека, способного на такую мелочность, Мальва! — заявила она. — Нас обвинили в колдовстве, это не имеет никакого отношения к политике!

— Мне все равно, политика там или нет, — простонала Гортензия. — Я не могу без музыки!

Роза обняла ее крепче.

— Не волнуйтесь, — прощебетала Петуния. — Гален все исправит.

— Исправит, как же, — горько рассмеялась Роза в ответ на уверенное заявление малышки.

И в то же время в глубине души она надеялась, что Петуния права. Они с Лилией годами искали способ избавиться от власти Подкаменного короля, снова и снова перечитывая дневники матери в попытках найти подсказку, выискивая упоминания о Подкаменном и его изгнании где только можно. Но единственные книги о нем, какие удалось найти, содержали лишь легенды, а нескольких дневников не хватало. Роза подозревала, что отсутствовали именно те тетради, которые могли оказаться наиболее полезными, и гадала, сама ли мать уничтожила записи или Подкаменный нашел способ их забрать.

Сестры проверили все физические границы его королевства. Они даже просили темных принцев нести их, усталых, через лес, чтобы посмотреть, как близко те смогут подойти к воротам. Они задавали придворным и сыновьям короля столько вопросов, сколько хватало духу. И не обнаружили ни единого слабого места. Они пытались рассказать о проклятии отцу, гувернантке — любому, кто стал бы слушать, но всякий раз их рты либо захлопывались, либо начинали нести чушь.

На некоторое время принцессы оставили попытки, надеясь просто отслужить свой срок внизу. Но вскоре после окончания войны Подкаменный король начал называть их невестами своих сыновей, наполняя девочек новым ужасом. Он собирался найти способ заточить их под землей навсегда. Сейчас Роза и ее сестры нуждались в помощи больше, чем когда-либо прежде, а Гален казался таким сильным и уверенным. Почти верилось, что он сумеет «все исправить». Роза поплотнее запахнулась в белую шаль и подвела Гортензию к туалетному столику.

— Ну же, утри слезы. Давай приготовимся к ужину.

Однако у епископа Анжье имелись другие планы. Когда двенадцать сестер появились в столовой, скромно одетые в закрытые платья темных тонов, с высокой талией, они обнаружили, что отец и Гален уже заняли места за покрытым белой скатертью столом, на котором не лежало ничего, кроме Библии.

— Сядьте, — велел епископ Анжье.

Принцессы сели.

Часа два епископ с большим воодушевлением распространялся о колдовстве и его пороках. Он также прошелся насчет злой природы всех женщин, неважно, ведьмы они или нет, и насчет того, как их отцам и мужьям следует держать их в жесткой узде. Это сильно отличалось от проповедей епископа Шелкера. Больше всего выбивало из колеи, что Анжье по очереди останавливал взгляд на лице каждой из сестер и внимательно смотрел несколько минут подряд. Когда он второй раз посмотрел на Розу, та осознала, что не может отвести глаза, не может моргнуть, пока не потекли слезы. Девушка пришла в ярость — ведь епископ-то, небось, решил, что тронул ее до слез. Когда он снова переключился на Лилию, Роза незаметно вытерла глаза и осмелилась взглянуть на Галена.

Тот вязал с таким видом, словно речь священника его совершенно не задевала, а епископ, в свою очередь, игнорировал юношу. Роза уронила платок на колени и уставилась на Галена как завороженная. Он вязал не на двух, а на четырех спицах, очень коротких и заостренных с обоих концов. Девушка как-то раз видела, как молодой садовник вязал тем же способом носок в саду, но тогда спицы у него были деревянные и гораздо тоньше. Эти же были толстые, из мягко мерцающего серебра, и что-то неуловимо ей напоминали. Еще больше изумляло выходившее из-под его рук изделие: юноша вязал цепь из черной шерсти. Роза насчитала уже восемь аккуратно сцепленных звеньев.

Гален перехватил ее взгляд и улыбнулся, а она подняла брови, спрашивая, для чего может понадобиться шерстяная цепь. Он только улыбнулся еще шире и набрал петли для нового звена. Девятого.

— Ты слушаешь меня, девушка?! — взревел Анжье.

Резко повернув голову, Роза увидела, как изо рта епископа вылетела капелька слюны и упала Сирени на тыльную сторону ладони. Младшая сестра с отвращением на лице быстро стерла каплю платком.

— Спасибо, епископ Анжье, за вашу пламенную проповедь, — произнес, вставая, король Грегор. Роза видела, как пульсирует у отца жилка на виске, словно он готов был заорать на святошу в ответ. — Уверен, ваши слова вдохнули в нас всех новую жизнь. — Он ухватился за шнурок звонка и решительно дернул. — Позвольте, мы обдумаем ваши слова за едой.

Монарх снова сел и похлопал Розу по руке.

Трапеза прошла в молчании, и старшая принцесса не смогла определить, кого больше задело сказанное епископом — ее саму или ее сестер. Во всяком случае, Гортензия явно кипела от негодования. Но больше всех Розу беспокоила Примула. Сестра не говорила, не ела, а взгляд у нее сделался стеклянным.

Роза едва прикоснулась к ужину, обдумывая, что произойдет, если она сознается в том, что она ведьма. Отпустят ли Анну или все равно обвинят в том, что она учила подопечную магии? По крайней мере, это снимет интердикт с королевства и очистит от подозрений остальных членов ее семьи, если только удастся убедить епископа, что она действовала в одиночку. Ее, конечно, отлучат от церкви навсегда и, скорее всего, пожизненно заключат под стражу, но отец и сестры будут свободны.

План имел единственный недостаток: после ее ухода туфли сестер все равно продолжат снашиваться. Вдобавок неизвестно, на что может пойти он, если Роза окажется потеряна для полночного бала и его старшего сына.

Роза содрогнулась. Она надеялась, что ее мать, несмотря на свои глупые сделки, попала на небеса и так увлечена пением — или чем там они занимаются, — что не видит, какую кашу заварила. Подкаменный король манипулировал Мод с самого начала, заставив ее выносить двенадцать невест для его суровых, красивых сыновей, а потом до срока загнал ее танцами в могилу, вынудив дочерей принять условия договора на себя.

Мод об этом не подозревала, по крайней мере, в ее дневниках ничто на это не указывало. Единственное упоминание о Подкаменном, которое им удалось обнаружить, содержалось в одной записи, сделанной после рождения Орхидеи. Мод гадала, не испортился ли эликсир, который дал ей он, и вовремя ли она выпила снадобье, раз приносит дочь за дочерью, а долгожданного наследника все не видать.

Розе хотелось как-то помочь Галену. Если бы только она могла оставить дверь в ковре открытой... но храбрый юноша спал и не сумел бы последовать за ними, даже представься ему такая возможность. Может, принести ему какой-нибудь знак из подземного мира? Но как потом объяснить происхождение подарка?

И тут Роза затаила дыхание. Знак. Звук ломающейся ветки. Странные серебряные спицы, которыми Гален вязал не что-нибудь, а цепь... она уставилась на юношу через стол, то и дело опуская глаза на вязанье, лежавшее на столе рядом с его тарелкой. Он заметил это и ответил ей долгим взглядом.

После ужина Лилия попросила Галена сыграть с ней в шахматы, но, как только они сели за игру, молодой человек начал зевать. Спустя несколько минут он сдался, извинился перед Лилией и вытянулся на диване «немножко передохнуть». Роза внимательно наблюдала за ним, но он казался крепко спящим.

— Думаешь, притворяется? — спросила она Лилию, пока они готовились к полночному балу.

— Невозможно, — отозвалась та. — Да и как бы ему это удалось? Против таких сильных чар никто не устоит.

И снова Роза позволила Лилии взять лампу и первой ступить на золотую лестницу, пропустив остальных девочек вперед себя в темноту и задержавшись как можно дольше, прежде чем последовать за ними. Однако диван, где спал Гален, был повернут к окнам, и с середины комнаты она толком не видела лежащего на нем юношу. Принцессе почудился шорох, и она навострила уши. Она даже убрала ногу с лестницы, чуть отошла назад и, вытянув шею, попыталась заглянуть за спинку дивана.

— Что ты делаешь?! — Сирень протянула руку из темноты и схватила Розу за подол. — Идем, а то опоздаем!

Старшая принцесса, раздосадованная, стала спускаться по лестнице, то и дело оглядываясь. Она дважды споткнулась и зацепилась подолом за край ступени, но ей было все равно. Она могла поклясться, что слышала, как ноги в сапогах пересекли комнату. Но когда золотая лестница у них за спиной поднялась, никаких признаков присутствия Галена не наблюдалось.

Кубок

Спускаясь по золотым ступеням, Гален беззвучно смеялся. Умница Роза! Явно что-то подозревает. Как она смотрела на него за ужином — словно светилась изнутри! Но, увы, потом не отвела в сторону и не расспросила. Однако так даже лучше. Не стоит будить в ней надежды, пока самому не ясно, сумеет ли он помочь и как.

Юноша задержался у серебряных ворот, когда принцессы уже прошли сквозь них. Забора при воротах не было, однако имелась четкая граница, уходящая в обе стороны, насколько хватало глаз. На лестничной стороне ворот под ногами не ощущалось ни земли, ни мостовой, просто... ничего. Ни твердо, ни мягко, ни шершаво, ни гладко — никак. А затем резко, словно кто-то провел линию ножом, начинался лес с искрящейся черной землей и серебряными деревьями.

Кивнув самому себе, Гален шагнул в ворота и позволил им захлопнуться у себя за спиной. Роза резко обернулась и прищурилась, но Сирень потянула ее за руку, и старшая принцесса последовала за сестрами.

Они шли через серебряный лес к берегу черного озера. Гален опять запрыгнул в золотую лодку вместе с Розой и ее кавалером, и снова принц изо всех сил старался не отстать от братьев. Однако он то и дело бросал взгляды на Розину фигуру на корме, видимо пытаясь определить, не растолстела ли его дама.

По мнению Галена, Роза никогда не выглядела прелестнее. Разумеется, до болезни он видел ее только раз, и тогда с нее ручьями текла вода. Но теперь девушка полностью оправилась — на щеках играл здоровый, а не лихорадочный румянец, и она больше не казалась изможденной, как раньше. Она надела красное бархатное платье, а на плечи накинула белую шаль, которую связал для нее Гален. На его взгляд, шаль восхитительно оттеняла платье и золотисто-каштановые волосы принцессы.

Как только днище лодки заскрипело о песок, Гален выпрыгнул, и Розин темный принц едва не упал, вытягивая лодку на берег. Он слишком сильно дернул, явно рассчитывая на больший вес. Несколько разочарованный тем, что соперник не шлепнулся на мокрый берег, Гален вздохнул. Роза оглянулась, и он затаил дыхание. Затем ее вниманием и рукой завладел кавалер и повел ее к темному дворцу.

Гален вынужден был признать, что они составляют прекрасную пару. Статные, красивые, изысканно одетые. За ними следовали Лилия и Фрезия и остальные в порядке старшинства. Высокомерные лица и парадные костюмы кавалеров ближе к концу процессии показались ему смешными, поскольку сопровождали они девочек минимум вдвое младше их годами.

Однако даже на Петунии было бальное платье, хотя и с пристойно высоким вырезом, а локоны у нее были рассыпаны по плечам, а не заколоты, как у старших сестер. Входя следом за Петунией и ее сопровождающим во дворец, Гален содрогнулся при мысли, что король намерен выдать принцесс за своих безжалостных сыновей. Петунии будет лет четырнадцать-пятнадцать, когда она выйдет за своего принца, и это только если король соблаговолит дождаться, пока истекут годы их служения.

Придворные с холодными глазами зааплодировали, принцессы присели в реверансе, и бал начался всерьез. Гален некоторое время наблюдал за танцами, но потом ему захотелось пить. Мимо пробегал слуга. Юноша схватил у него с подноса кубок и быстро спрятал под плащ. Затем унес добычу в угол, где его отчасти скрывала драпировка, и жадно выпил. Кубок незнакомой работы перекочевал в кошель на поясе. Еще один сувенир для короля Георга.

Когда Фиалка взмолилась пересидеть танец, Гален снова устроился рядом с ней. Словно почувствовав его присутствие, девочка начала озираться и даже заглянула под стул, приподняв розовые юбки.

— Ты здесь, дух? — спросила она наконец.

— Зде-есь, — глухо отозвался Гален.

— Зачем?

— Я хочу помо-очь тебе-е.

— Ох.

— Скажи мне, принцесса, как твоя мать отыскала Подкаменного короля?

— Ты о чем?

— Он сам пришел к ней или заставил ее прийти сюда, чтобы заключить сделку?

Изображать призрачный голос оказалось нелегко, и у Галена пересохло в горле. Вот бы еще чего-нибудь попить.

— Она сама его нашла, — с готовностью ответила девочка. — Роза говорит, так и получился серебряный лес. Когда мама пришла сюда первый раз, она уронила брошку. Это был серебряный крест в лавровом венке, подарок ее крестного. На следующую ночь из брошки вырос лес. — Фиалка поморщилась и добавила: — Я пыталась вырастить дерево из гранатового колечка, но ничего не вышло.

— Понимаю.

Гален помолчал. Серебряный лес вырос из креста? Неудивительно, что в добытых им ветках ощущалась такая сила — руки все еще еле заметно покалывало после вязания серебряными спицами.

— А принцы могут проходить сквозь ворота, когда захотят? Как они попадают на поверхность? Наверняка не по вашей золотой лестнице.

Фиалка наморщила лобик.

— Нет, принцы могут приходить только ночью. Хотя я не знаю как. Однажды, когда папа запер нас в разных комнатах, они явились в сад. Но на следующую ночь едва с ног не валились. Они ненавидят этот лес. Когда Роза болела, она упала в обморок, и принц Илликен донес ее до ворот. Пока мы добрались до лестницы, он уже выглядел не лучше Розы. Петунию в ту ночь стошнило, и Лилии пришлось тащить ее на руках всю дорогу от лодок. Кестилан, принц Петунии, наотрез отказался ее нести, потому что от нее плохо пахло. — Фиалка хихикнула.

Гален засмеялся вместе с ней, но резко умолк, чуть не подавившись, когда подошли Роза, Лилия и их кавалеры. Все они рассеянно улыбнулись Фиалке.

— Что такого смешного, Фи? — Роза поправила растрепавшиеся локоны сестренки. — С кем ты разговаривала?

Гален наклонился к уху Фиалки и как можно тише шепнул:

— Ш-ш-ш.

— Ни с кем, — ответила малышка, слезая со стула. — Я знаю, мне надо продолжать танцевать. — И отправилась искать своего кавалера в лучшем настроении, чем когда-либо.

— Что на нее нашло? — недоуменно произнесла Лилия.

— Не знаю, — задумчиво отозвалась Роза.

Они смотрели прямо туда, где сидел Гален, и руки у него покрылись мурашками. Роза смотрела сквозь него, но юношу не покидало ощущение, что его присутствие больше не тайна для нее. Он осторожно протянул палец и коснулся тыльной стороны принцессиной ладони. Пальцы у нее дрогнули, но она не подскочила и не вскрикнула. Лишь губы изогнулись в еле заметной улыбке.

— Мы тоже должны танцевать, — сказал принц Илликен и увел ее.

— Еще одна ночь, — прошептал Гален им вслед. — Еще одна ночь, и я вытащу тебя отсюда. И твоих сестер тоже.

Остаток бала молодой человек молчал, хотя несколько раз и Роза, и Фиалка пытались задержаться около стульев, где он сидел. Обратно через озеро он переправился в лодке с Лилией. Теперь лишний вес смущал другого кавалера, а Илликен получил незаслуженную передышку.

И снова Гален без единого звука проскользнул вверх по ступеням прежде принцесс. Когда Роза явилась его проверить, он уже мирно храпел. Она перегнулась через спинку дивана, и он уловил запах ее духов.

Гувернантка

Гален проснулся с ощущением уверенности в успехе, но вскоре после завтрака она начала таять. Из старухиной черной шерсти он связал цепь. Длины ее хватит обмотать ручки ворот, но вот подействует ли она? Подаренный старухой плащ действительно превращал его в невидимку, а цепь Гален связал из черной шерсти ветками серебряных деревьев. Руки до сих пор покалывало от спящей в них мощи. Но поможет ли это? Удастся ли помешать Подкаменному королю получить желаемое?

Гален связал Розе шаль из старухиной же белой шерсти в надежде, что та каким-то образом защитит и утешит принцессу. Но Илликен танцевал с Розой как ни в чем не бывало, и теперь юноша беспокоился, не подвело ли его чутье.

После обеда он обошел сад в поисках Вальтера, но не смог отыскать старика. Ему требовался совет, но он не знал, куда податься.

Гален стоял у входа в живой лабиринт и смотрел на дворец. Невзирая на низкие облака, обещавшие снегопад, розовая штукатурка выглядела весело. Юноша покачал головой, припомнив ночи, потраченные впустую на патрулирование сада, когда принцессы пользовались потайным ходом в собственной гостиной. Гален нахмурился. А кто устроил этот потайной ход? Подкаменный король или королева Мод? Если принцессы и знают, сказать все равно не могут.

Но мог знать еще один человек во дворце.

Бретонскую гувернантку держали в чердачной каморке, где обычно спали самые последние судомойки. Дверь ее охраняли священник и дворцовый стражник, и никому не дозволялось беседовать с ней наедине, только в присутствии епископа Анжье. Гален прикинул, не использовать ли письмо короля Грегора для свидания с Анной, но оно обеспечивало ему свободу передвижения только снаружи дворца и уж точно не давало права разговаривать с заключенными, находящимися на попечении епископа.

Поэтому Гален застегнул плащ и отправился в обход к задней стене дворца. На всех углах современного квадратного здания имелись медные водосточные трубы. Юноша вскарабкался по той, что находилась на западном углу, почти вплотную к камере Анны. Оказавшись на уровне чердачных окон, он потянулся всем телом и уцепился рукой и ногой за оконную раму. Сердце колотилось, вниз глянуть было страшно, но Гален отпустил водосточную трубу и перескочил на узкий карниз.

Он припал к окну, запертому изнутри на задвижку, и увидел белое лицо, высматривающее источник шума — тихого царапанья подошв по карнизу. Глаза у гувернантки опухли от слез, седые волосы свалялись.

Гален расстегнул цепочку плаща. Женщина пискнула, когда он возник из ниоткуда прямо перед ней. Он поднес палец к губам и улыбнулся, всем своим видом излучая дружелюбие.

— Я хочу помочь, — произнес он четко одними губами.

Похоже, это не очень-то ее убедило, но она отперла задвижку и приоткрыла окно буквально на волосок.

— Кто вы?

— Я Гален Вернер, садовник. Пожалуйста, впустите меня. Мне нужно задать вам несколько вопросов.

— Мне уже достаточно вопросов назадавали. — Анна попыталась закрыть окно.

— Пожалуйста, — взмолился Гален. — Я просто стараюсь помочь.

Она заколебалась, затем приоткрыла раму чуть шире. Гален ухватился за край и, распахнув окно настежь, кубарем ввалился в комнату.

В крохотной каморке помещались только койка, стол и стул. Ни книг, ни шитья, помогающих скоротать долгие часы бездействия. Даже умывальника не оказалось.

— Как же вы... Вы просто возникли... Кто послал вас?

Анна с опаской попятилась от незнакомца, но все равно понизила голос, чтобы стражники не услышали.

— Меня зовут Гален, я работаю в саду. Я хочу помочь девочкам... принцессам, — поправился юноша. — Вчера ночью мне удалось проследить за ними при помощи вот этого. — Он снова застегнул плащ и исчез.

Анна ахнула и прижала руки ко рту. Гален быстро снял плащ.

— Мне его дала добрая старушка. Вместе с шерстью, из которой я сделал вот это. — Он вытянул цепь из кошеля на поясе. — Хочу запереть вход в подземное царство, где они танцуют по ночам. Там есть ворота, принцессы каждый раз через них проходят... — Он оборвал себя: затея внезапно показалась ему дурацкой. — Вы что-нибудь знаете?

Ощупывая пальцами цепь, Анна покачала головой, и у юноши упало сердце. Все верно, она совершенно не виновата в полуночных проделках подопечных.

Но следующие слова превратили его жалость к заключенной в ярость.

— Она на ощупь такая легкая. Не знаю, достаточно ли этого, чтобы удержать Подкаменного, — сказала гувернантка.

— Вы знаете про Подкаменного короля? — выпалил Гален, еле сдерживаясь. — Почему никому не рассказали? Почему не помогли им?

— Я только сейчас поняла, что натворила Мод, — торопливо откликнулась Анна. Она села на узкую койку и натянула на пухлые плечи лоденовое[1] одеяло. — И не собираюсь делиться открытием с этим ужасным епископом Анжье. Много лет я была для Мод другом, единственной поверенной, — продолжала гувернантка, — однако в это она меня не посвятила. Она что-то сделала, это я понимала, но думала, что она просто нашла какую-нибудь ведьму, а та наложила на нее заклятие плодородия. Понимаете, королева обошла их всех. Каждую повитуху, знахарку, белую колдунью, предсказательницу... Она принимала ужасные зелья, питалась одну неделю только вареными яйцами, а другую — только виноградом; служанки стирали ее одежду в дождевой воде и сушили при полной луне... — Анна пока-

[1] Лоден — французская плотная шерстяная ткань, напоминающая сукно, но мягче его и тоньше. *(Прим. пер.)*

чала головой. — Ничего не помогало. А затем Мод перестала разговаривать со мной, перестала делиться тайнами, и родилась Роза. Двенадцать детей за одиннадцать лет хоть кого измотают, но в глубине души я всегда чувствовала, что бедняжку Мод гнетет что-то еще. А когда она умерла и ее девочки тоже начали выглядеть все время усталыми и завели манеру стаптывать туфли каждую третью ночь, я поняла: ради рождения дочерей Мод сделала нечто такое, за что приходится платить до сих пор. Я снова и снова обшаривала дворец, даже комнаты здесь, наверху, — она обвела рукой свою голую камеру, — и только-только нашла книги, за несколько часов до прибытия Анжье. Он поймал меня с ними в руках. Я не успела в них даже заглянуть.

Прежде чем задать следующий вопрос, Галену пришлось откашляться. Он так внимательно вслушивался в ее путаные речи, что забыл сглатывать.

— Какие книги?

— «История», заплесневелая от времени, где рассказывается о Подкаменном и о его падении. И дневник Мод, где подробно описаны ее отношения с ним. Она прятала их в библиотеке. Я нашла их только потому, что уронила карандаш и он закатился за книжную полку. Книги оказались засунуты за нее.

— И что вы успели прочесть?

— Только то, что Мод заключила с ним две сделки: одну — ради рождения детей, а другую — ради окончания войны с Аналузией. И что-то из истории, про волшебников, которые уцелели после заклятия заточения. Они не умерли. — Анна покачала головой. — Мне не хватило времени разобраться, что к чему, — закончила она расстроенно.

— Где эти книги теперь?

— В покоях Анжье, насколько я понимаю. Но как вы до них доберетесь?

— Легко. — Гален снова застегнул плащ и сделался невидимым, чувствуя, как лицо расплывается в улыбке. Ответы ждали, осталось их только схватить. — Легко.

Он подошел к окну, вылез наружу и спустился по водосточной трубе.

— Удачи вам, — негромко сказал он Анне.

— И вам, — отозвалась она, но в ее голосе по-прежнему звучало изрядное сомнение.

Третья ночь

Спеша по дворцовым коридорам, по-прежнему невидимый, Гален начал понимать, о каких опасностях плаща болтала старуха. Ладно еще от служанок уворачиваться, но один из лакеев выдернул ковровую дорожку прямо у юноши из-под ног и унес проветривать. Потом Галену едва не прищемило руку дверью, так что перед входом в покои Анжье он остановился и собрался.

Он приложил ухо к замочной скважине, но ничего не услышал, а посему решительно вскрыл замок перочинным ножом и вошел. Быстрый обыск показал, что гостиная и прилегающая спальня действительно пусты, и Гален переключился на поиски описанных Анной книг.

Долго искать не пришлось.

Епископ Анжье, уверенный, что никто не посмеет шарить в его вещах, просто оставил их на столе. Там лежали и другие книги: блокнот с записями на аналузском, принадлежавший, как догадался юноша, епископу, книга по истории колдовства и красиво иллюстрированная Библия.

Отодвинув эти книги в сторону, Гален взял потрепанный том по истории и маленький синий дневник, также брошенный на стол. Он начал убирать их в сумку, но сообразил, что пропажу неизбежно заметят и поднимется шум.

Тогда юноша положил добычу обратно на стол и начал торопливо листать книгу в надежде отыскать что-нибудь, пока не вернулся Анжье. На середине книги между страницами оказалась вложена фиалка. Мод отметила цветком главу про Подкаменного.

Гален присел на краешек стола и стал читать.

Некогда его звали Вольфрам фон Ауэ, он жил в пятом веке и был советником короля Ранульфа Вестфалинского. Убив Ранульфа и объявив королем себя, Подкаменный запретил когда-либо впредь произносить свое имя, дабы им не воспользовались в колдовстве против него. Все записи, каждый клочок бумаги, содержавший это имя, были уничтожены, и самая память о нем стерта из сознания подданных узурпатора. Волшебники, заточившие его под землю, затратили на восстановление этого имени множество лет, ведь оно являлось ключом к запорным чарам. Также туда входило благословленное епископом серебро и шерсть нестриженого ягненка.

Гален сунул руку в сумку и погладил шерстяную цепь. Пряжа-то явно из той же оперы. Кто же эта загадочная старуха?

Ответ нашелся в конце главы. Двенадцать волшебников заточили под землю Подкаменного короля, как он звался теперь. Восемь из них умерли, но четверо остались, и более того:

«Не будучи уверенными, что существо столь могущественное и столь злобное можно одолеть по-настоящему, четверо живых волшебников приняли на себя бессмертие, чтобы ходить по миру до скончания времен. Пусть и умалившись в силе, они вечно стоят на страже против темного короля и ему подобных, дабы не вернулись они в мир и не причинили нового зла».

Ему подобных? При мысли о присутствии в мире других тварей вроде Подкаменного короля Гален содрогнулся.

Он переключился на дневник Мод, испытывая некоторую неловкость от вторжения в личную жизнь королевы. Тут ему помог Анжье: в соответствующем месте книжки лежала лиловая атласная закладка с вышитой на ней епископской печатью. Мод узнала о Подкаменном не только из обнаруженной ею старой хроники, но и от одной из колдуний, с кем советовалась в жажде заиметь ребенка.

Эта «добрая женщина», так называла ее Мод, рассказала королеве, как Подкаменному удалось призвать к себе смертных принцесс и зачать двенадцать сыновей. Оттуда-то Мод и почерпнула идею обратиться к нему за помощью. Добрая женщина (хотя Гален подобрал бы другой эпитет) научила королеву, как вызвать короля: капнуть крови на белый шелковый носовой платок и приложить его к земле в новолуние, назвав настоящее имя Подкаменного. Мод проделала все это в дальнем конце парка, возле старого дуба, одного из немногих деревьев, оставленных Грегором при переделке сада для бретонской невесты. Галену стало любопытно, не через это ли место проникли к дворцу Рионин и его братья.

Заключая сделку с Подкаменным королем, Мод просила только одного ребенка, но король «милостиво» пообещал ей дюжину. Ее первые записи по поводу отношений с ним дышали восторгом: от нее потребовали всего-то приходить во дворец в полнолуние и танцевать. Затем в полнолуние родилась Роза, и Мод не явилась на бал.

Когда она в следующий раз спустилась по золотой лестнице, Подкаменный король был в ярости и велел танцевать уже дважды в месяц. С каждым пропущенным балом он увеличивал частоту посещений, и в итоге королева танцевала трижды в неделю, пока не умерла. К концу почерк у нее сделался неровным от отчаяния, а чернила размывали слезы. Ей страшно не хотелось заключать новый договор для победы в войне, но иного способа помочь любимому Грегору Мод не видела, а Подкаменный в последнее время держался ласковее...

Гален читал все это в ужасе, способный видеть то, чего не видела королева: Подкаменный манипулировал бедной женщиной и использовал ее, играя на мечтах о детях, о мире, обещая все и требуя на первый взгляд так мало.

Всего лишь танцевать для него, отдавая жизненную силу.

Всего лишь выносить двенадцать дочерей, которые однажды выйдут за его сыновей.

В условиях сделки об этом, разумеется, не упоминалось. Гален закрыл дневник и выругался. Он аккуратно положил книгу ровно туда, откуда взял, — поверх исторической хроники и под соответствующим углом — и быстро прошел через гостиную к двери. Но, взявшись за ручку, услышал голоса в коридоре и отступил.

Дверь распахнулась, и вошел Анжье со своим помощником отцом Михаэлем. И с Петунией.

Гален мог бы выскользнуть, пока младший священник не закрыл дверь, но он остался, прижавшись к стене. Епископ крепко держал испуганную девочку за руку выше локтя. Он усадил ее на стул и навис над ней. Гален еле дышал.

Анжье не стал ходить вокруг да около, а начал сразу с важного вопроса:

— Куда вы с сестрами ходите каждую ночь?

Петуния ничего не сказала, только помотала головой.

— Ты не скажешь или не знаешь?

Снова покачивание головой.

— Ты хочешь вместе с сестрами в тюрьму?

Услышав этот вопрос, Гален стиснул зубы.

— Н-нет, — раздался тоненький голосок Петунии. — Мы хотим остаться здесь, с папой.

— Тогда скажи мне, куда вы ходите каждую ночь!

— Я не могу, — заскулила девочка.

— Можешь и скажешь. Кто в ответе за смерть принцев? Бретонка? Твой отец? Твои старшие сестры? Отвечай!

Гален стиснул кулаки. Неужели король Грегор разрешил допрашивать свою самую младшую дочь, словно преступницу?

Лихорадочно озираясь, юноша пытался придумать, как остановить этот кошмар. Епископ продолжал сыпать вопросами, и Петуния начала всхлипывать. Напасть на Анжье было нельзя, а если он откроет дверь и пойдет к королю, они заметят.

Гален уже решил рискнуть в надежде, что распахнутую створку спишут на обитающих в замке привидений, когда в коридоре раздался топот и в дверь забарабанили. Младший священник открыл, и их глазам предстал побагровевший король Грегор, за спиной у него стояли Роза, Лилия и епископ Шелкер.

Петуния вскочила, бросилась через комнату и зарылась лицом в Розины юбки.

— Ваше святейшество, — произнес король с едва сдерживаемой яростью, — я давал разрешение на допрос моих старших дочерей, но не младших. И никого из них не дозволено допрашивать в одиночку, без присутствия хотя бы служанки.

— Мой долг — докопаться до сути, Грегор, — холодно ответил епископ. — Гувернантка и ваши старшие дочери не заговорят. Но возможно, младшие еще не закоснели во лжи.

— Мои дочери не лгут, — процедил король. — Если здесь творится колдовство, то они его жертвы и вам следовало бы проявить к ним сострадание.

— Это очень сильно противоречит политике ордена, брат Анжье, — добавил Шелкер.

Дверь за спиной у Розы оставалась открытой. Гален понял, что Петуния в данный момент находится под большей защитой, чем мог бы предложить ей он, и выскользнул наружу. Старшая принцесса испуганно оглянулась, когда он случайно задел ее, и он на миг затаил дыхание, когда она посмотрела прямо сквозь него.

— Однако теперь можете продолжать допрос, — говорил король Грегор, закрывая дверь. — Хоть всех нас допросите. Вместе.

Оказавшись в коридоре, Гален с облегчением выдохнул, снял плащ и затолкал его в сумку. Он устал передвигаться по дворцу крадучись — несколько раз на него едва не наступили. Прокручивая в голове прочитанные сведения, юноша мысленно вернулся к гувернантке, сидящей на койке в накинутом на плечи одеяле и перебирающей пальцами тонкую шерстяную цепь.

Одеяло было из темно-зеленого лодена, хорошо знакомого Галену. Армейские одеяла делались из того же материала и в трудную минуту легко превращались и в навес от дождя, и в портянку для протершегося сапога. Валеная шерсть кусалась и плохо гнулась, и солдаты в шутку называли ее пуленепробиваемой, мол, никто тебя во сне не застрелит.

Пуленепробиваемая? Вряд ли. Но крепче, чем обычная шерсть? Безусловно.

Гален отправился на кухню и попросил позвать старшую кухарку. Вышла крупная женщина с таким выражением лица, какое бывает у добродушного человека в неудачный день. Она вяло покрикивала на подчиненных, а те пугались и шарахались, словно и сами чувствовали себя не в своей тарелке.

— Милостивая сударыня, — произнес юноша тепло и уважительно, — меня зовут Гален Вернер, я гощу здесь уже два дня. Позвольте выразить восхищение вашей кухней.

— Ты — молодой садовник, — проворчала повариха, затем смахнула с подноса лопаткой две печенинки и жестом пригласила Галена их отведать.

— Так и есть. Полагаю, вы знаете, почему я теперь во дворце? — Он огляделся, не желая посвящать в свой план всю кухню.

— Знаю, — понизив голос, отозвалась кухарка. — Наверное, тебе нужна помощь?

— Если вы будете так добры...

— Ну что я могу, — пожала плечами толстуха.

— Дело совсем не сложное. — Гален выудил из сумки черную шерстяную цепь. — Не могли бы вы сварить это? Добавив это и это. — Он вынул из кармана базилик, снял с лацкана белладонну и выложил все три ингредиента на стол.

У поварихи отвисла челюсть.

— Ты хочешь, чтобы я это сварила? Все вместе?

— Да, если вам нетрудно.

— Но зачем?

— Боюсь, не могу сейчас сказать. Но если вы сегодня просто подержите это все в накрытом крышкой кипящем горшке, я вам заплачу. — Он прикинул, хватит ли его скудного запаса монет для оплаты такого простого дела.

— И это поможет принцессам?

— Надеюсь.

— Ладно, — согласилась женщина с изрядным сомнением в голосе. — Сварю. А денег не надо.

— Спасибо.

Похоже, у него наконец-то появился козырь. Гален набрал в карманы еще базилика и белладонны и пребывал в неприлично хорошем настроении во время вечерней проповеди Анжье. Поддержка отца и старших сестер помогла Петунии. Девочка вышла из покоев епископа с залитым слезами лицом, но ее жизнерадостная натура почти не пострадала.

После ужина Гален играл в карты с Гортензией, Сиренью и Орхидеей. Он заставил себя несколько раз зевнуть, но медлил притворяться спящим, пока Гортензия не обыграла их всех.

Песок

Снова оказавшись на диване, где «спал» прошлой ночью, Гален захрапел как можно убедительнее, пока девочки готовились к балу. В какой-то момент он поймал себя на том, что засыпает по-настоящему. Выудив одной рукой из сумки спицу, юноша тыкал себя в ногу всякий раз, как начинал задремывать. В урочный час он под прикрытием спинки дивана накинул фиолетовый плащ и, как только лестница начала опускаться, уже пристроился за спиной у Розы.

Пока они спускались по золотой лестнице, белая шаль соскользнула с плеч девушки, и Гален, не думая, поправил ее.

— Спасибо, — машинально произнесла Роза, затем резко остановилась и оглянулась. Страх на ее лице боролся с надеждой. — Гален?

— Роза? Что такое? — Фиалка подошла и взяла старшую сестру за руку.

— Ничего. — Роза помотала головой, словно прочищая мозги. — Я все думаю... Неважно. — Ведя младшую сестренку за руку, она продолжила спуск.

— Это был добрый дух?

Роза снова остановилась:

— Что ты сказала?

— Последние две ночи на балу я разговаривала с добрым духом, — поделилась Фиалка, с обожанием глядя снизу вверх на старшую. — Он очень хороший, подбадривает меня, когда я устаю и мне грустно.

— Он... он подбадривает?

— Роза! Фиалка! — Фрезия, стоя с остальными принцессами у подножия лестницы, раздраженно смотрела вверх. — Чего вы обе там застряли?

— Уже идем. — Роза поспешно преодолела вместе с Фиалкой оставшиеся ступени. — А на кого дух похож голосом? — шепотом спросила она по дороге.

— На духа, — ответила малышка и тут же зажала рот ладошкой. — Мне не полагается об этом говорить, — произнесла она сквозь пальцы. — Это секрет.

К облегчению Галена, они добрались до жемчужно-серебряных ворот прежде, чем Роза успела вытянуть из Фиалки что-нибудь еще. На сей раз он плыл в лодке с Фрезией и ее темным принцем. Тот оказался не таким стоиком, как остальные, и проворчал:

— Что ты ела на ужин?

— В смысле? — нахмурилась принцесса, глядя на орудующего веслами кавалера.

— Ты такая тяжелая, словно на тебе железное исподнее, — пропыхтел тот.

— Фу! — Фрезия стукнула своего принца веером по плечу. — Как грубо!

Когда лодка добралась до острова и черного дворца, Фрезия выпрыгнула из нее, не дожидаясь помощи. Она гордо прошествовала во дворец впереди остальных, а ее кавалер семенил за ней по пятам, извиняясь на каждом шагу. Посмеиваясь про себя, Гален задержался зачерпнуть немного крупного черного песка. Он завязал его в платок и засунул сверток в кошель на поясе.

Оказавшись в бальном зале, Гален, мучась жаждой, стянул себе кубок. Роза сохраняла настороженность и обшаривала углы комнаты взглядом в поисках признаков перемен. Принц Илликен пытался завладеть ее вниманием, обнимая за тонкую талию крепче обычного, отчего Гален потянулся за новым кубком и еще за одним. Наконец рассеянный вид партнерши настолько утомил принца, что он сам отошел выпить, оставив

Розу возле стульев, где Гален играл с Фиалкой в «доброго духа».

Юноша засунул кубки за занавеску, подошел к Розе и дернул за край шали. Она ахнула и стала озираться.

— Привет, — негромко сказал Гален. — Потанцуем?

— Ты Фиалкин добрый дух?

— Ага.

— Голос у тебя знакомый. — Глаза ее блеснули. — Не мог бы ты для надежности изобразить храп?

Гален не ответил. Он поймал Розу за талию и, кружа, повел на танцевальную площадку. Она раскинула руки и смеялась, позволяя вести себя среди других танцоров. Все вытаращились на принцессу, которая, как безумная, кружилась по сияющему полу. Галена никто не видел, и, пролетая мимо Лилии, юноша услышал, как она ахнула, мол, Роза сошла с ума. Девушка тоже услышала и рассмеялась еще сильнее.

Гален наклонился к ее уху:

— Может ли король подниматься на поверхность?

Вопрос отрезвил Розу, но искорки в глазах никуда не делись.

— Нет. Король не может покидать это место. Никогда.

— Утром я запечатаю ворота. Тебе больше не придется танцевать!

— Ступени не появятся, пока не наступит полночь, — покачала головой Роза, кружась в его объятиях.

Из ее замысловатой прически повылетали шпильки и со стуком рассыпались по полу.

— Не волнуйся, я вас освобожу, — сказал Гален, набираясь дерзости. — Роза, я...

— Это еще что такое? — Бледный Подкаменный король без предупреждения ворвался в бальный зал и злобно уставился на Розу.

Трубачи с опозданием заиграли фанфары, но король оборвал их резким жестом.

Принцесса отошла от Галена и неуверенно присела.

— Пожалуйста, простите мне, ваше величество. Я... опьянела от музыки.

Принц Илликен подошел и встал рядом с девушкой, его белое лицо покраснело от смущения. Роза оперлась на него, якобы от усталости. И Гален обуздал свою ревность.

— Вижу.

Король хмурым и подозрительным взглядом обвел зал. На том месте, где стоял Гален, его черные глаза на кратчайшее мгновение задержались, и юноша почувствовал, как по лицу и спине заструился пот.

— Подойди сюда, милая Роза, — поманил ее Подгорный. — Остальные — продолжайте танец.

Музыканты снова подняли инструменты, и прочие гости опять закружились по залу. Сопровождаемая принцем Илликеном, Роза подошла, встала у подножия трона и взглянула на короля.

— Как я понимаю, у твоих юбок увивается другой молодой человек, — произнес холодный голос.

— Не понимаю, о чем вы, ваше величество, — натянуто отозвалась Роза.

— Не лги мне, Роза. Может, я и заперт здесь, но в курсе происходящего там. — Он ткнул костлявым пальцем вверх.

— В данный момент во дворце действительно находится один юноша, — неохотно признала Роза. — Но он всего лишь простолюдин. — Тон ее сделался презрительным. — Не поверите, он садовник!

Она рассмеялась, и унижение обожгло Галена. Но тут он увидел, как напряжена принцесса, и заметил отблески влаги в ее глазах. Притворство перед королем требовало усилий, девушку бросило в пот.

— По сравнению с моими сыновьями все ваши дневные кавалеры — простолюдины. Неужели садовник рассчитывает на высшую награду? — Лицо короля треснуло в улыбке. — Жениться на красивой принцессе? — Леденящий смех. — Твой садовник должен чувствовать себя польщенным: он не женится на принцессе, но умрет смертью принца. — И снова король рассмеялся, а Галена затошнило от ужаса.

— Умрет? — Роза громко сглотнула.

— Разумеется. Не пройдет и месяца, как мы покараем его за наглость, подобно остальным. Как бы это обставить? — изобразил задумчивость король. — Дуэль? Падение с лошади? Забавно было бы избавиться от него тем же способом, каким я устранил глупых наследничков. Надо об этом подумать. Тот, кто метил так высоко, не заслуживает смерти под колесами крестьянской телеги.

— Почему вы решили... принцев... — Роза умолкла, дрожа, и плотнее укутала плечи шалью, к вящей радости Галена. — Извините меня, ваше величество.

Она присела перед королем в реверансе и двинулась прочь, опираясь на руку принца Илликена. Гален последовал за ними, стараясь не думать о том, как именно умрет.

— Зря ты рассердила отца, — произнес Илликен деревянным голосом.

— Я... — начала Роза, но затем просто покачала головой и отвернулась.

Принц Илликен остановился, и Гален чуть не наступил ему на ногу, но вовремя отпрыгнул.

— И что за простолюдин за тобой ухаживает?

В голосе звучало слабое любопытство. Более сильного проявления чувств Галену от принца услышать не довелось. Любопытство или ревность?

— Он не ухаживает за мной, — отозвалась Роза с некоторым смущением.

— Но ищет ответы?

— Ну да.

— И если найдет, женится на одной из вас? — Черные глаза принца Илликена сузились.

— Он не потребовал за свою помощь... э-э... награды, — ощетинилась Роза. — Разумеется, если он узнает правду, мой бедный отец наверняка даст ему все, чего бы он ни пожелал. — Она вскинула подбородок.

— Не узнает, — просто сказал Илликен. — А даже если узнает, тебе это не поможет.

Он без предупреждения сгреб Розу и увлек ее в фигурах следующего танца. Принцесса споткнулась, но принц держал крепко, и она не упала, хотя сделала несколько неуверенных шагов, прежде чем попасть в такт.

— Болван, — произнес Гален вслух, а про себя добавил еще несколько нелестных слов в адрес Илликена.

— Что ты сказал? — в замешательстве обернулась к своему партнеру женщина у него за спиной.

— Я ничего не говорил, — отозвался мужчина.

Они отвернулись, собираясь продолжить танцевать, и тут Гален легонько подул даме в шею. Та взвизгнула. Гален же уселся на свой стул «доброго духа» и попытался собраться с мыслями.

Интересно, сумеет ли Вальтер помочь ему защититься от Подкаменного короля, если тот действительно попробует его прикончить? У юноши имелись свои подозрения относительно истинной природы старого садовника. Хотя если Вальтер и делал что-то для защиты принцесс, то это не помогло. Но его не волновала ни одна из них конкретно.

Спустя мгновение Галену снова пришлось вскочить, поскольку на него чуть не сели. Ускользая, он краем плаща задел руку бледного придворного, и тот внезапно передумал отдыхать и вышел из бального зала. Негромко ругаясь про себя, Гален поправил плащ и до конца бала простоял в углу.

Наконец принцессам дозволили уйти. Фиалка и Петуния так устали, что кавалерам пришлось их нести. Гален приготовился вновь шагнуть в лодку к Фрезии, любопытствуя, рискнет ли ее принц повторно пройтись насчет веса стройной девушки.

Но не успел никто из них отчалить, как из дворца появился Подкаменный король. Лик его был ужасен. За ним семенил придворный, который едва не сел на Галена.

— Стоять! — грянул король. — Стоять! Чужак! — В одной руке он держал кубок, а в другой — увядший стебелек белладонны. Высоко подняв эти улики, Подкаменный продолжал: — Этого кубка касались губы смертного! В мой дом принесли белладонну! Где он?

Гален лихорадочно охлопал карманы и схватился за лацкан. Базилик лежал на месте, но белладонна пропала, осталась только булавка.

Ужасные черные глаза чиркнули по юноше, прошли мимо и вернулись. Несмотря на плащ, Подкаменный его видел, Гален был уверен в этом. Король наставил на него длинный палец, бледные губы зазмеились, произнося слова, отзывавшиеся в ушах юноши звоном и лязгом. Он смутно слышал, как завизжали принцессы, почувствовал пронесшийся над ним порыв ледяного ветра.

Мир потемнел, и в этой темноте Гален ясно услышал голос Подкаменного короля:

— Ты умрешь прежде, чем наступит новое полнолуние.

Бунт

Гален проснулся в гостиной принцесс от громкого стука в дверь. Голова кружилась. Он поднялся с пола и проковылял на звук. Но стражник, которому он открыл, озадаченно посмотрел сквозь него и позвал принцессу Розу.

— Что такое? — Из спальни вышла Мария, старшая горничная. Волосы у нее растрепались, платье помялось. — Что за шум, капитан? — Она шагнула мимо Галена, словно его не было.

С опозданием юноша сообразил, что на нем по-прежнему плащ-невидимка. Надо было прошмыгнуть дальше по коридору и снять его в своей комнате: не стоило внезапно возникать из ниоткуда перед слугами или принцессами.

И тут, как гром, вернулись воспоминания о событиях прошлой ночи. Подкаменный король увидел его. Гален умрет до следующего полнолуния, дня примерно через три. А Роза... Он очнулся посреди ковра с золотым узором. На обратном пути принцессы непременно споткнулись бы о него.

Если они вернулись.

Не обращая внимания на торопливо шепчущихся горничную и стражника, Гален подбежал к двери в спальню Розы и заглянул туда. Кровати стояли аккуратно застеленные, а на диване в уголке еще спала одна из служанок. Ни следа принцесс. Гален юркнул в комнату, сдернул плащ и выбежал обратно с криком:

— Принцессы пропали!

Мария и стражник изумленно уставились на него. Гален метнулся к другой спальне и распахнул дверь. Там он увидел очередную служанку, которая только-только просыпалась, и новый ряд пустых постелей.

— Принцессы пропали!

— Что?

Теперь, когда до них дошло, стражник с Марией присоединились к Галену в обыске комнат. Четыре служанки — и ни одной принцессы.

— Их взяли в заложники, — ахнул стражник, крестясь. — Стало быть, толпа прорвалась.

— Какая толпа? — уставился на него Гален.

— Горожане бунтуют, — пояснил стражник.

Тут юноша сообразил, с какой вестью спешил этот человек в покои принцесс.

— Они требуют повесить фройляйн Анну, а отлучение снять. — Стражник нервно огляделся. — Все эти разговоры о колдовстве, мол, принцессы убивают иностранных принцев... опять же, ни тебе мертвых похоронить, ни святое причастие получить...

Но Гален замотал головой, отметая эти сведения. Ничто не имело теперь значения. Подкаменный король забрал Розу и больше никогда не позволит ей и ее сестрам покинуть свое королевство.

— Мне надо поговорить с королем, — твердо заявил он и выбежал из гостиной; остальные двое не отставали.

Епископ Анжье находился, разумеется, у короля. Вместе с премьер-министром и королевскими советниками, а также с епископом Шелкером. Последний морщил лоб и не сводил глаз с Анжье.

Король Грегор озадаченно нахмурился, когда в зал вошел Гален в сопровождении капитана стражи и Марии. Он заглянул в коридор за их спинами.

— Господин Вернер, где мои дочери?

— Их здесь нет, ваше величество, — с поклоном ответил Гален; ему очень не хотелось объяснять все при таком скоплении народа.

— Кто-то взял их в заложники, сир, — выпалил капитан. — Этот парень утверждает, будто знает, кто именно.

При этом известии комната взорвалась. Министры загомонили, размахивая руками и указывая за окно. Гален взглянул туда и увидел выстроившийся во дворе отряд гвардейцев.

— Тихо! — гаркнул король. — Тихо, все! — Он шагнул вперед и крепко стиснул плечо Галена. — Кто забрал моих девочек?

Гален глубоко вздохнул:

— Тот же, кто заставляет их танцевать ночь за ночью, ваше величество. Подкаменный король.

Премьер-министр издал горький смешок.

— Уберите его отсюда, капитан, — махнул он стражнику рядом с Галеном. — Он сумасшедший. Или дурак. Или и то и другое вместе.

— Или заодно с бунтовщиками, — сказал другой министр. — Заберите его и допросите.

Гален не сводил глаз с короля. На лице Грегора проступило понимание — тот знал, что юноша говорит правду. В глазах его мелькнул ужас. Через плечо монарха Гален видел, как приподнялся с места епископ Шелкер. Страх на лице священника подсказал юноше, что епископ Брукский также не сомневается в правдивости легенд.

— У тебя есть доказательство, — прошептал король пересохшими губами, и это был не вопрос.

Гален потянулся к кошелю на поясе, отодвинув фиолетовый плащ, неловко заткнутый за пояс, но в этот момент на его руках выше локтя сомкнулись железные пальцы.

— Не шевелись, — негромко приказал капитан. — Ваше величество, пожалуйста, отойдите.

— Отведите его в мои покои, — велел Анжье, махнув капитану. — Я допрошу его позже.

— Епископ Анжье, мне нужно поговорить с мальчиком, — запротестовал король Грегор, отступая от Галена, когда капитан потянул юношу назад.

— Брат Анжье... — начал епископ Шелкер.

— Я сказал, увести его! — рявкнул Анжье, стукнув кулаком по столу.

Капитан заломил Галену руки и поволок его к дверям. Молодой человек сопротивлялся, но не смог освободиться от стальной хватки.

— Каждую ночь принцессы спускаются по золотой лестнице в гостиной! — крикнул Гален. — Они идут через серебряный лес и переплывают в лодках по черному озеру во дворец, где танцуют с двенадцатью принцами, сыновьями Подкаменного короля! Королеву Мод обманули!

Но к этому времени его уже выволокли в коридор, и дверь за ним захлопнулась.

— Заткнись, — велел капитан и отвесил Галену подзатыльник.

Гален извернулся, пользуясь тем, что служивый отпустил одну руку, и наконец-то вырвался. Быстрым движением он накинул плащ-невидимку и застегнул цепочку. Капитан ахнул, когда арестованный исчез у него на глазах, а юноша медленно попятился, держась ковровой дорожки посередине коридора, чтобы не стучали башмаки.

Нырнув в первую попавшуюся комнату, он захлопнул дверь, отсекая крики капитана, поднимавшего по тревоге всю дворцовую стражу. Комната оказалась музыкальным салоном, выходившим на парадные ворота. Гален торопливо обежал пианино и перегнулся через диванчик у окна. Отряд солдат во дворе стоял на прежнем месте, и поверх их голов юноша разглядел, что делается у ворот. Похоже, весь Брук собрался там, потрясая кулаками и скандируя: «Повесить ведьму!»

Гален отвернулся и вышел обратно в коридор. Стража топала в отдалении, открывая и закрывая двери в поисках беглеца. Юноша прокрался мимо них и спустился по черной лестнице в кухню. В потемках сразу за обитой сукном дверью он снял плащ и засунул его в сумку.

Кухонная прислуга наверняка узнает о его аресте последней, и Гален вошел как ни в чем не бывало. Старшая кухарка тут же поманила его к плите в дальнем углу, где весело булькал большой черный котел.

— Цепь села, — шепнула она.

— Так и задумано, — заверил ее Гален.

Деревянной ложкой кухарка выловила черную шерсть, завернула ее в полотенце, чтобы отжать воду, а затем протянула мокрую цепь юноше.

Он старательно перещупал звенья. Они стали плотнее и тверже, но меньше. Палец больше не пролезал между ними. На самом деле пряжа казалась твердой — петли вообще сделались неразличимы. Все получилось в точности как он хотел, вплоть до острого запаха трав.

— Дорогая моя, вы просто сокровище!

Гален чмокнул кухарку в пухлую щеку, сунул цепь в сумку и выскользнул из кухни в сад. Он нарвал себе новых веточек базилика и белладонны — как он надеялся, в последний раз, — а затем перелез по плющу через садовую стену. Прикинул, не надеть ли снова плащ, но улицы за дворцом пустовали.

Пробравшись к дядиному дому, Гален увидел, что розовая штукатурка заляпана грязью, а ставни на нижнем этаже сорваны и валяются на земле. Видимо, не в силах добраться до самого дворца, некоторые из протестующих выместили свою ярость на главном садовнике «королевской придури».

Дверь оказалась заперта, а ключа у Галена не было, поэтому он постучал. Несколько минут никто не отзывался, наконец дядя Райнер приоткрыл дверь и подозрительно выглянул в крохотную щелку. Убедившись, что Гален один, он с ворчанием посторонился, пропуская его в дом.

— С вами все в порядке, дядя? — спросил Гален. — И с тетей Лизель? И с Ульрикой?

Райнер кивнул.

— А что другие садовники? Вальтер?

— Я велел передать Вальтеру и остальным, чтобы пока сидели по домам, — проворчал Райнер. — Я утром и двух шагов от крыльца не отошел, когда мимо меня пронеслась ватага смутьянов. Они ворвались во дворец?

— Пока за воротами, — ответил Гален. — Но не знаю, как долго они смогут довольствоваться только руганью и угрозами.

Райнер мрачно покачал головой.

— Подумать только, до чего дошло, — пробормотал он. — Бросаться грязью и камнями в мой дом, выкрикивать ругательства под окнами дворца... позорище!

По лестнице спустилась Ульрика и просияла при виде Галена.

— Хвала небесам! — Она подбежала к нему и обняла. — Пожалуйста, скажи, что ты пришел насовсем.

— Боюсь, я только забежал забрать кое-какие вещи, а потом вернусь во дворец, — мягко сказал Гален.

— Ничего подобного ты не сделаешь, — запыхтел дядя Райнер. — Ты уже унизил меня, ввязавшись в странные дела с принцессами, и я не позволю этому зайти дальше. Нечего высовываться! Сиди тихо да делай, что говорят: пропалывай клумбы и ухаживай за королевским садом. Забудь о принцессах и их странных делах.

— Вопрос не в королевском саде, — тихо сказал Гален, — и странные дела не у принцесс, а у королевы. Сад был ее, и вся эта заваруха... — юноша махнул рукой, — тоже из-за нее.

— В этом доме о покойниках плохо не говорят, парень, — напомнил Райнер.

— Она навлекла проклятие на собственных дочерей, — горячо возразил Гален. — Прокляла их с рождения. Я вообще подозреваю, не Подкаменный ли король разжег войну, чтобы заранее наложить на них лапу.

— О чем ты говоришь? — Гнев на лице Райнера сменился замешательством, а Ульрика вытаращилась, приоткрыв рот.

Однако Гален уже не мог остановиться. За последние дни он спал не больше двух часов, и все, чему стал свидетелем, наконец сложилось у него в голове. Кроме того, вопли толпы вернули его в дни боев.

— Война, танцы, слухи о колдовстве — все это сводится к следующему: Подкаменному королю Роза и ее сестры нужны для его сыновей, и его не волнует, сколько смертных погибнет ради того, чтобы он заполучил девушек. — Гален стиснул зубы.

— Прекрати. Ты бредишь, парень, — сказал Райнер. — Отправляйся к себе в комнату и ложись, а когда все прояснится, я посмотрю, позволить ли тебе продолжать работать со мной. Ступай.

Гален ушел, но ложиться не стал. Он сменил костюм на свой старый мундир. К тяжелому поясу поверх синей солдатской куртки пристегнул пару пистолетов и длинный нож. Еще один нож спрятал в правом сапоге. Затем вытряхнул сумку и заново сложил туда серебряные спицы, кубок и мешочек с черным песком. Сверху положил запас пороха и зарядов для пистолета и винтовки.

Гален надел сумку и убедился, что она не задевает пистолеты. Затем вскинул на плечо винтовку, а поверх всего набросил плащ. Снова став невидимым, он спустился по лестнице и прошел к передней. Проходя через гостиную, он услышал рокочущий голос Райнера и уловил свое имя.

— Он впутался в неприятности, Лизель, — говорил Райнер. — Не будь он нашим родственником...

— Но он наш родственник, — раздался мелодичный голос тети Лизель. — И мы не должны отворачиваться от него.

— Кто сказал, что у него неприятности? Он просто пытается помочь своим друзьям, — возразила отцу Ульрика.

— Ты не понимаешь, — гудел Райнер. — Вся история с Генрихом повторяется. Гален и старшая принцесса...

Юноша не стал дожидаться продолжения. Убеждать Райнера в невиновности Розы и его собственном стремлении просто ей помочь не имело смысла. Оставалось лишь остановить это и освободить принцесс от проклятия. Гален выскользнул из парадной двери и зашагал по улице.

Анжье

Если смотреть из сада, могло показаться, будто во дворце все в порядке. Ни мятежных толп, ни иных неприятностей. Чуть подождать — и увидишь, как по дорожке хромает Вальтер с тачкой, насвистывая веселую мелодию. Но старый садовник, похоже, внял совету Райнера и остался дома.

Гален убрал плащ и нырнул в кухонную дверь, с улыбкой кивнул старшей кухарке и поднялся по лестнице в гостиную принцесс. Если ковер действительно не превратится в лестницу в течение дня, придется нанести Вальтеру визит домой.

Дверь загораживал стражник.

Гален сунул руки в карманы, пряча висящие на поясе пистолеты.

— Не возражаешь, если я зайду гляну?

— Никого пускать не велено, — отвечал стражник, косясь на ружье и мундир Галена.

— Принцессы ведь не вернулись, да? — Гален не сомневался в ответе, но хотел выяснить, почему охраняют пустую комнату.

— Нет, не вернулись. — В голосе служивого слышалась тревога. — Слушай, младший садовник... или кто ты там, просто ступай своей дорогой. Ничего тут не поделаешь.

— Ладно, — с подчеркнутой неохотой согласился Гален.

Он вышел через кухню обратно в сад и, обогнув дворец, оказался на южной его стороне. Надев плащ, молодой человек аккуратно забрался по плющу и пролез в гостиную через незапертое окно. Там он обнаружил епископа Анжье, раскладывающего драгоценности принцесс на карточном столе. Скрип Галеновых сапог по подоконнику и шум приземления заставили епископа поднять глаза.

Прямо на Галена.

— А, садовник переоделся солдатом. Мне следовало догадаться, — заметил Анжье.

Потрясенный, Гален замер.

Епископ удивил его еще больше, вынув из складок сутаны пистолет и направив дуло в сердце незваному гостю.

— Пожалуйста, сними это.

Юноша не торопился подчиняться, тогда Анжье поднял левую руку и показал большое кольцо с темно-лиловым камнем.

— У охотника на ведьм много разных инструментов. Например, аметист позволяет видеть сквозь чары. Однако прежде я им не пользовался. Принцессы казались скорее упрямыми, нежели умными. Но ты со своей дурацкой ухмылочкой и бесконечно щелкающими спицами... Я знал, что ты наверняка не такой тупица, каким прикидываешься.

— О, — только и смог сказать Гален.

— Плащ, — напомнил Анжье. — Мне бы хотелось смотреть тебе в глаза с большим удобством.

Юноша снял невидимку и перекинул через руку.

— Идем, — сказал Анжье.

Гален пошел, куда велели: дальше по коридору, мимо испуганного стражника — его, как теперь стало понятно, поставили охранять покой епископа — и в отведенные Анжье комнаты. Оказавшись у себя, епископ указал Галену на стул, а сам сел напротив, не убирая пистолета.

Гостиная выходила на переднюю часть сада, где в прошлый раз бесновалась толпа. Однако теперь крики смолкли, и юноша вытянулся в надежде разглядеть, что творится снаружи, не вставая со стула.

— Черни бояться не приходится, — сказал Анжье, проследив его взгляд. — Я о них позаботился.

Гален ощутил укол недоверия.

— Каким образом?

— Заверил, что ведьму завтра утром повесят, а интердикт снимут, как только я сочту, что королевский дом очищен от скверны, — спокойно пояснил епископ. — Первую воскресную мессу я обещал провести лично. — Он улыбнулся. — Как думаешь, недели королю хватит для отречения?

— Отречения? — Гален похолодел. — Но король невиновен! Так же как и фройляйн Анна!

— Разумеется, — пожал плечами Анжье. — Но мы же не можем повесить королеву Мод, верно? Отречение короля станет ударом, я уверен, но со временем народ поймет мудрость этого решения. Вся королевская семья запятнана колдовством и совершенно не подходит для управления благочестивым народом Вестфалина.

Мозг у Галена кипел. Анжье не лгал: он собирался казнить Анну и давить на короля Грегора, пока тот не отдаст трон. Юноша сглотнул поднявшуюся к горлу желчь и сосредоточился на направленном на него пистолете. Надо выбираться отсюда, и быстро. Уже миновал полдень, а он понятия не имел, какие мучения претерпевает Роза в королевстве Подкаменного.

— Ваше святейшество, — произнес Гален как можно спокойнее. — Пожалуйста, я только хочу помочь принцессам.

— Помочь? Со своим грязным волшебным плащом? Да скорей всего, именно ты их от меня и прячешь!

Гален решил выложить карты на стол. Необходимо перетянуть епископа на свою сторону.

— Нет, ваше святейшество! Клянусь, я не владею магией. Я лишь пытаюсь спасти принцесс из лап Подкаменного короля. Плащ подарил мне один из волшебников, заточивших колдуна под землю.

— Подкаменный король! — фыркнул Анжье. — Гнусные маленькие ведьмы использовали детскую страшилку для прикрытия собственных дьявольских махинаций. Не было никогда никакого Подкаменного короля, парень. Это все враки.

— Тогда с кем заключила сделку королева Мод? — Гален указал подбородком на дневник на столе.

Это было ошибкой. Епископ раздулся, как жаба.

— Вижу, ты тут пошнырял в своем плаще, — прошипел он. — Быстро говори, где принцессы!

— Я уже сказал: они в заточении у Подкаменного короля!

— Лжешь! — взвыл Анжье.

— У вас есть доказательство, прямо тут, в личных дневниках королевы Мод, — запальчиво произнес Гален. — Вы должны помочь мне их освободить!

— Богохульство и ложь! — замотал головой Анжье, тряся толстыми щеками. — Тебя повесят за колдовство, парень, даже если мы не сумеем доказать, что бедных запутавшихся юных барышень совратил ты.

— Я никогда не причинил бы им вреда, — горячо возразил Гален. — Я искал сведения в надежде помочь им. Я приходил сюда вчера... — Юноша остановился, заметив взгляд епископа, направленный ему за спину.

— Спасибо, капитан, мы закончили. — Анжье опустил оружие.

Гален вскочил на ноги, нашаривая одной рукой пистолет на поясе, развернулся... и ничего не увидел. За спиной у него никого не было.

— Глупец, — рассмеялся Анжье.

И тут голова Галена взорвалась болью: епископ ударил его по затылку рукояткой пистолета. Юноша упал лицом вниз на роскошный красный ковер. Словно сквозь вату, облепившую его голову, он слышал, как Анжье зовет на помощь, мол, на него только что напал спятивший младший садовник.

Затем навалилась темнота, и Гален лишился чувств.

Пленницы

В Подкаменном дворце Роза с сестрами никогда не заходили дальше бального зала. Даже комната отдыха для них находилась сразу в главном коридоре. Однако теперь они оказались в глубине здания, и старшая принцесса решила, что спальни здесь едва ли уютнее и приветливее парадных помещений.

Все было черное. Или темно-фиолетовое. Или полночно-синее. Изредка вспыхивало серебро — лампы, серебряная отделка на немногочисленных стульях. Но остальное было цвета теней, пауков и сумерек. Их собственную одежду забрали, а взамен предоставили целые шкафы бальных платьев, утренних платьев и ночных сорочек всех оттенков черного, фиолетового и темно-синего.

— Хочу мое розовое платье, — всхлипывала Фиалка.

Накануне ночью она вымоталась до предела и не возражала, когда Лилия, выгнав странных, молчаливых служанок, переодела ее в тонюсенькую черную ночную сорочку и уложила в кровать эбенового дерева. Но теперь настало утро, хотя солнце здесь не светило, и малышка отказывалась надевать любое из предложенных платьев.

— Я тоже не хочу это платье, — подхватила Петуния, вырываясь от Фрезии, пытавшейся запихать ее в темно-фиолетовый муслин. — Оно уродливое и пахнет противно. Где мое желтое платье?

Роза вряд ли могла их винить. Одежда действительно пахла противно — камнем, землей и еще чем-то неприятным. И ткани были холодные, скользкие и странные. Когда ее собственное темно-синее платье поползло через голову и по плечам, она с трудом подавила дрожь отвращения.

Единственным утешением ей служила связанная Галеном шаль. Молчаливые слуги попытались забрать и ее, но Роза зашипела, что, если они прикоснутся к этой вещи, она велит их всех обезглавить. Что-то в ее лице убедило их, а возможно, такое наказание для слуг не являлось неслыханным при дворе Подкаменного короля, и шаль оставили в покое.

Остальные сестры такими свирепыми не были, тут уж кому как повезло.

— Не налезают, — пожаловалась Сирень, демонстрируя пару черных кожаных туфель.

— Тогда померяй Орхидеины, — рявкнула Роза.

Она изловила Петунию, когда младшая попыталась заползти под кровать, и держала ее на вытянутых руках, пока Фрезия продевала голову девочки в вырез фиолетового платья.

— Туфли господина Шмидта сидят куда лучше, — заявила Орхидея.

— Разумеется, лучше, он же сделал их для нас не одну сотню, — заметила Сирень.

— Стой смирно! — прикрикнула Роза на Петунию. — Твоего желтого платья больше нет. Придется носить это!

Все сестры застыли и уставились на нее. Роза в жизни не повышала голоса.

— Послушайте меня, — сказала она, изо всех сил стараясь умерить тон, но все равно сердито. — Не важно, что одежда пахнет противно и сидит черт-те как. Скоро мы к этому привыкнем. Неужели вы все не понимаете? Мы никогда не выйдем отсюда! Мы больше не увидим ни солнца, ни маминого сада, ни папы — никогда!

Роза поставила на пол Петунию с фиолетовым платьем на шее и вышла вон. Она не думала, куда идет, пока не оказалась в коридоре. Здесь было пусто и пугающе тихо, но принцесса не замедлила шага.

Вскоре ей попалась незакрытая дверь. За ней виднелось зеркальное отражение покинутой ею комнаты. Длинное и узкое помещение с двенадцатью высокими кроватями. Илликен и его братья расположились на всевозможных диванчиках, играли на странных, визгливых инструментах, читали книги или просто сидели и таращились в пустоту.

Роза вошла.

Все принцы как один уставились на нее, затем вскочили. Илликена вытолкнули вперед.

— Роза, что ты здесь делаешь? Разве тебе не полагается находиться у себя?

— Какая разница?

— Отец не любит, когда люди бродят по дворцу без разрешения.

— Н-да, умом вы не блещете.

При ее резких словах в глазах Илликена промелькнула искра.

— Отец не приветствует в нас избыток ума, — осторожно произнес он, словно проверяя, поймет ли она. — Он не терпит соперничества.

— И ты станешь таким же, — припечатал Подкаменный король, врываясь в спальню, — если когда-нибудь сядешь на мой трон.

Бледная кожа Илликена приобрела тошнотворно-зеленый оттенок. Все двенадцать братьев согнулись в поклоне.

Роза, однако, осталась стоять прямо, как палка. Она покончила с изъявлением почтения к этой злобной твари.

— Где Гален? — Вопросов у нее накопилось немало, и ее саму немного удивило, что первым с губ сорвался именно этот, однако он волновал ее не меньше остальных. — Что вы с ним сделали?

— Ничего. — Король с невинным видом развел зловеще длинными руками. — Маленький садовник совершенно здоров. Пока.

— А потом он упадет с лошади или поскользнется на мокрой мостовой? Чтобы вам не пришлось марать руки? — насмешливо ухмыльнулась Роза.

Король холодно улыбнулся:

— Держать руки чистыми — сохранять невиновность. Разве это не человеческий метод?

— Что вы об этом знаете!

— Много. В конце концов, когда-то я был человеком. — Король обвел рукой застывших в молчании сыновей. — Их матери тоже принадлежали к роду людскому. И ваши с сестрами дети будут на три четверти людьми. — Король рассмеялся. — Как же порадует меня способность внуков свободно ходить по дневному миру!

Роза полагала, что уже перешагнула порог страха, но она ошибалась. При этих словах ее пронзила ледяная дрожь ужаса. Принцесса пошатнулась, почти теряя сознание. Ей живо представилось, как ее собственные дети расхаживают по улицам Брука, выполняя повеления Подкаменного короля. Илликен подхватил ее твердыми холодными руками и не дал упасть. Она стряхнула его ладони и оперлась на спинку дивана.

— Я здесь не останусь. — Проклятье, как дрожит голос! — Я не выйду за Илликена. У меня не будет де... Ты не сможешь меня заставить!

— Очень даже смогу, — рассудительно произнес Подкаменный король. — Через неделю ты выйдешь за Илликена и никогда больше не увидишь солнца, дорогая Роза. Разве ты этого не понимаешь?

У принцессы мелькнула надежда.

— Но тебе придется нас отпустить — таков договор. Мы танцуем, а потом отправляемся домой и, когда выйдет срок, обретем свободу. Ты связан договором не меньше нашего.

— Договоры можно нарушать, если ты готов заплатить цену, — промурлыкал король. — И что такое одна жизнь, в конце концов?

Он погладил по щеке одного из сыновей. У того глаза округлились от ужаса.

Вдобавок к предобморочному состоянию Розу затошнило.

— Итак, одному из твоих сыновей придется умереть, чтобы ты мог держать нас здесь?

— Наказание за нарушение договора — жизнь, — пожал плечами король. — И я не собираюсь отдавать свою. — Он оттолкнул принца. — А теперь ступай к себе и сиди смирно. — Весь шелк из его голоса пропал, остался лишь камень.

Роза ушла.

— С тобой все в порядке? — Лилия только раз взглянула ей лицо и помогла старшей сестре сесть. — Что стряслось?

Она рассказала им все, не пощадив и младших. Они должны знать. Это их право и общее бремя. К концу рассказа все рыдали.

— Что нам теперь делать? — Гортензия скорее рухнула, нежели села рядом с Розой. — Мы заперты тут навсегда!

— Гален умрет, — негромко сказала Роза. — А мы выйдем за принцев.

— Кроме одного, который умрет в наказание, — напомнила Мальва. — Надеюсь, это окажется Блатен.

Блатеном звали ее партнера по полночному балу.

— Он просто заведет еще одного, — негромко отозвалась Роза, правильно угадав ход мыслей короля. — От очередной несчастной женщины. А тебя потом выдадут за младенца.

— Почему всегда двенадцать? — недоуменно буркнула Орхидея.

— Двенадцать чего? — спросила Лилия, машинально перевязывая Орхидее кушак.

— Нас двенадцать. И принцев. Так много...

Роза мысленно сложила имеющиеся сведения воедино.

— Волшебников, что заперли короля здесь, было двенадцать. И если каждая из нас родит по ребенку, король получит себе в услужение двенадцать полулюдей-полуколдунов. Я знаю, он собирается заставить их разбить ворота тюрьмы!

Девочки содрогнулись.

Они никогда больше не увидят отца.

Бедную Анну повесят как ведьму, а Галена убьют. А они останутся сидеть здесь взаперти, год за годом, с Подкаменным королем и его тихими мрачными сыновьями.

Несмотря на решение прекратить реветь, у Розы из глаз текли слезы. Впервые она поняла, через что прошла Лилия, когда погиб Генрих, и ее сердце сжалось от сострадания.

— Надо бежать, — заявила она.

— Как? — возразила Фрезия. — Мы не можем просто выйти за дверь. Нас увидят.

— Дождемся бала... — начала Роза.

Мальва перебила ее:

— Через озеро не перебраться. — Она теребила нервными пальцами темные юбки, голос у нее срывался. — Рано или поздно нам придется выйти за них.

— Надо заставить короля отпустить нас домой, хоть на несколько минут. — Роза лихорадочно соображала. — Нам бы только вернуться туда, а уж способ остаться мы найдем.

— И как мы его убедим? — безнадежно вопросила Гортензия. — Он заполучил нас ровно туда, где хотел видеть.

— Но не туда, где хочет находиться он сам, — парировала Роза.

— Что? — нахмурилась Лилия, а Гортензия покачала головой:

— О чем ты говоришь, Роза? Ты же знаешь, король не может подняться в дневной мир.

— Святые угодники, — прошептала Примула и начала вполголоса молиться.

— Но его сыновья могут, — напомнила Роза.

Молитва застыла у Примулы на языке. Младшие не поняли, но старшие догадались и в безмолвном ужасе уставились на Розу.

Наконец Лилия заговорила.

— Что ты задумала? — спросила она.

— Принцы могут выходить ночью, — мрачно объяснила Роза, — поэтому я приглашу их познакомиться с нашим отцом. Нам понадобится только найти способ остаться, когда они уйдут на заре.

Фрезия наставила на сестру дрожащий палец:

— А если они тоже найдут способ остаться наверху? Об этом ты подумала?

— Ну да, затея небезопасная, — признала та. — Но мы обязаны пойти на такой риск, если хотим снова увидеть папу. Если хотим снова увидеть солнце!

Лилия встала и подошла к Розе. Она взяла ее за руку, пристально глядя старшей принцессе в лицо.

— Ты хорошо себя чувствуешь? Похоже, лихорадка возвращается.

— Нет, — отстранилась Роза и в отчаянии перевела взгляд с Лилии на остальных сестер. — Как вы не понимаете! Нам необходимо отсюда вырваться! Пусть даже мне придется пригласить их к нам домой. Я лучше умру, чем выйду за Илликена!

— Я с Розой, — твердо произнесла Гортензия, поднимаясь на ноги и вставая рядом со старшей принцессой.

— И я, — присоединилась Мальва. — И Маргаритка тоже. — Она потащила за собой близняшку.

— Мальва, едва ли правильно...

— Ой! Извини, значит, ты все же хочешь выйти за Тиролиана? — выгнула бровь Мальва.

Маргариткин рот захлопнулся так, что зубы клацнули.

Младшие тоже встали.

— Мы вообще ни за кого не хотим, никогда, — заявила Орхидея за всех.

— Но, Роза, — запротестовала Лилия, — наверняка есть способ получше.

— Тогда я даю нам два дня на то, чтобы его придумать, — сказала Роза. — Если по истечении этого срока у нас не появится более здравой идеи, я приглашу сыновей Подкаменного на чай с нашим отцом.

Воин

Гален очнулся с ужасной пульсирующей болью в голове. Под щекой чувствовался деревянный пол. Похоже, его разбудил шум, но вот какой?

Юноша заморгал, разгоняя туман перед глазами, и попробовал оглядеться, но кругом царила темнота. На миг он запаниковал, не ослеп ли от удара, но затем сообразил, что просто… темно. Со стоном он попытался сесть, но обнаружил, что связан.

Извиваясь в поисках более удобного положения, Гален стукнулся головой, потом ногами и только тут сообразил, что заперт в шкафу или подобном тесном пространстве. Переменив положение, он увидел тонкую полоску света под дверью. Толкнул дверь, однако она не подалась.

Руки ему связали спереди, поэтому легко удалось просунуть ладонь в правый сапог и вытащить нож. Все прочее оружие у него забрали, но проверить сапоги явно поленились. Юноша неодобрительно покачал головой на такую беспечность и принялся пилить веревки.

Путы распались, и, неловко держа нож затекшими пальцами, пленник переключился на лодыжки. Возясь с первой петлей, он порезался и упустил рукоять. Пришлось долго шарить в темноте и тесноте, но в конце концов все получилось.

Тщательно засунув нож на место, Гален, пошатываясь, поднялся на ноги и ощупал свою темницу. Определенно платяной шкаф, причем запертый снаружи. Юноша крикнул, пнул дверь, а затем внимательно прислушался. Из помещения по ту сторону створок никто не отзывался, не слышалось даже шевеления. Стало быть, его оставили одного.

— Хорошо, — проворчал он.

Плюхнувшись на пол, он уперся спиной в стенку шкафа, а ногами в дверцу. Затем, подтянув колени к груди, резко выбросил ноги вперед. С обнадеживающим треском дверь чуть подалась. Он снова ударил, и на третий раз створка пошла трещинами и распахнулась, повиснув на одной петле. Гален с трудом встал и шагнул наружу.

Он очутился в спальне Анжье, куда прежде мельком заглянул из гостиной. Внимание привлек звон резных деревянных часов на стене.

Они как раз выбивали половину первого ночи. Именно этот звук его и разбудил, сообразил Гален и выругался. Полпервого! Роза и ее сестры заперты внизу уже целые сутки. А Анжье не лежит в постели, не спит сном праведника. Куда он подевался?

Юноша выбежал из спальни в гостиную. На столе вместе с книгами и дневником лежало его оружие и содержимое сумки.

Гален торопливо запихал в сумку кубок, спицы, платок с песком и шерстяную цепь, сверху сунул порох и заряды. Ножи убрал в ножны, проверил и взвел пистолеты, примкнул штык. Затем надел сумку, взял длинный нож, накинул плащ и направился к двери.

Анжье запер покои снаружи, но это не задержало Галена надолго. Голова еще болела, однако мысли были четкими и ясными. Если он не решит проблему сегодня, Роза умрет. Юноша одним пинком выбил замок и шагнул в коридор.

Ковер в гостиной принцесс лежал на месте, а служанки похрапывали в креслах. Гален опустился на колени у золотого лабиринта и положил на него ладонь. Он провел по узору кончиком пальца, как у него на глазах делала Лилия, и пробормотал молитву.

Ничего.

Неужели слишком поздно? Или волшебство не действует именно у него?

Он сунул руку в сумку и вынул одну из серебряных веток-спиц. Освященное серебро должно помочь. Вместе с веткой вывалился узелок с песком, и мерцающие черные гранулы рассыпались по ковру. Они искрились в огнях свечей. Золотой узор засветился, и нити слились в золотые полосы, но не ушли вниз. Гален рассыпал еще немного песка, но без толку. Он убрал платок и стиснул в правой руке серебряную спицу. Бормоча очередную молитву, обвел узор сияющей веткой.

Песок заискрился еще ярче, золотые линии расширились и утонули в полу. Сама ветка растворилась, и Гален отпрянул как раз вовремя, чтобы не полететь вниз головой по винтовой лестнице. Он вскочил и помчался по возникающим ступеням так, что последняя опередила его всего на пару секунд.

Серебряные с жемчугом ворота распахнулись от одного прикосновения, и юноша вошел в лес, задержавшись, только чтобы застегнуть фиолетовый плащ. Он бежал по тропинке и чувствовал, как стучит в ушах кровь. «Роза, Роза, Роза, — казалось, твердил пульс. — Спаси ее, спаси ее, спаси ее».

Следующим препятствием стало озеро. Золотых лодок с высокими принцами на веслах за ним не прислали. Гален умел плавать, но от этого испортились бы винтовка и пистолеты, да и в природе заполняющей озеро черной жидкости он здорово сомневался. Юноша присел на корточки и опасливо потрогал ее пальцем — кожу защипало. Пришлось поплевать на палец, чтобы унять жжение.

— Так, купание отменяется, — произнес Гален вслух.

Он вытащил вторую серебряную спицу и бросил ее на воду, молясь о каком-нибудь мосте.

Мост не образовался. Спица канула в черные волны, и Гален в ярости пнул песок. Он принялся расхаживать по берегу, краем глаза держа в поле зрения черный замок.

Справа от него несколько серебряных деревьев подобрались прямо к урезу воды. Гален толкнул одно из них, пытаясь определить, насколько плотно сидят корни в рыхлом песке. Однако строительство плота отнимет много времени, да и дерево не поддавалось.

Но тут он увидел скрывавшийся за деревом сюрприз.

На песке меж деревьев лежала лодка из кружевной серебряной филиграни. Она выглядела так, словно пойдет ко дну, едва оказавшись на воде, но в груди у Галена затрепетала надежда. Он нагнулся и обследовал находку. Лодка казалась куском серебряного кружева, затвердевшего и изогнутого, в одной из уключин застрял обрывок синего атласа.

Королева Мод обожала синий цвет, это знали все. На всех виденных Галеном портретах она была в синем.

— Стало быть, вот как она переправлялась, — сказал он себе.

Юноша ухватился за борт и стащил лодку в воду. Когда узкое суденышко скользнуло по черной поверхности озера, Гален вознес мысленную молитву. Затаив дыхание, он смотрел, как лодка покачивается на легких волнах. Течи не было. Лодка держалась легко, будто сухой лист. Не теряя времени, Гален запрыгнул внутрь и схватил серебряные весла. С каждым гребком нетерпение его возрастало, а плеск воды о кружевной борт шептал ему: «Торопись».

Сегодня принцессы представляли собой еще более печальное зрелище, чем в три предыдущие ночи. Облегающие платья из паутинно-тонких шелков Подкаменного королевства фиолетового, черного и темно-синего цветов напоминали Галену синяки. Лица, всегда бледные и покорные в этом месте, теперь полнились отчаянием, некоторые принцессы откровенно всхлипывали.

Он поискал глазами Розу и обнаружил ее в дальнем конце зала, погруженную в беседу с кружащим ее Илликеном. Не понимая, что она затевает, Гален в тревоге пробирался между танцующими, пока не оказался достаточно близко и не услышал:

— Если я уговорю твоего отца отпустить тебя на одну ночь наверх, обещаешь ли ты не причинять вреда никому из моих домашних?

— Нет! — выдохнул Гален.

Роза и ее кавалер замерли. Пары в радиусе нескольких шагов от них тоже застыли, все обернулись на звук.

У Розы на щеках расцвел румянец.

— Что это было? — Она огляделась с притворной невинностью. — Ты слышал, Илликен?

— Разумеется, слышал, — натянуто произнес тот. — Что-то здесь не так.

Его пристальный взгляд обшаривал толпу, несколько раз чиркнул по Галену, но темному принцу недоставало могущества заглянуть под плащ-невидимку. Он повернулся к слуге.

— Испросите присутствия моего отца и повелителя, — велел он.

— Твой отец и повелитель уже здесь, — раздался ледяной голос.

Двери в дальнем конце бального зала беззвучно распахнулись, пока внимание придворных было приковано к Розе.

— Что произошло? — Король сидел на троне как ни в чем не бывало, но не отрывал глаз от старшей принцессы.

— Простите меня, повелитель, — присела в реверансе Фрезия, оказавшаяся к Розе ближе всех из принцесс. — Я неожиданно кашлянула, и это нарушило танец.

— Ты... кашлянула? — Король поднял брови, явно не веря ни единому слову принцессы. — Понимаю. — Скепсис в его словах ощущался физически. — Рионин?

Кавалер Фрезии вытянулся по стойке смирно:

— Да, отец и повелитель?

— Она действительно кашлянула?

Красивое лицо принца затуманилось смущением.

— Я не обратил внимания.

Взгляд короля скользнул по собравшимся и снова задержался на месте, где стоял Гален.

На помощь неожиданно пришел Илликен:

— Отец мой и повелитель, дозволь переговорить с тобой.

Король кивнул и взмахом велел музыкантам на галерее продолжать. Танцоры снова пустились в пляс. Только Роза отошла к стульям у стены и села, да Илликен опустился на одно колено и негромко заговорил с отцом.

— Что ты затеяла? — прошептал Гален Розе.

Та даже не испугалась при звуке его бесплотного голоса.

— Я обязана найти выход.

— Пригласить сыновей Подкаменного наверх? И чего ты рассчитываешь этим добиться?

— Мне необходимо попасть домой, — прошипела она. — Надеюсь, оказавшись там, мы сумеем обвести их вокруг пальца.

— В точности как твоей маме необходимы были дети и окончание войны?

Жестокие слова, но Гален не жалел о сказанном. Даже думать о заключении новой сделки с Подкаменным королем — безумие.

— Мне больше ничего не пришло в голову. — У Розы даже голос сел.

— А мне пришло. — Гален стиснул ее локоть. — Проскользни вдоль стены и выходи наружу. У берега ждет серебряная лодка. Выбирайся отсюда.

— Лодка? Какая еще лодка? И как же мои сестры?

— Мы их заберем. Все разом все равно не влезут. Мне придется сделать две ходки, так что торопись.

Его перебила Лилия.

— Роза! Что ты натворила? — Она указала на помост, где их с Фрезией кавалеры присоединились к Илликену в напряженной беседе с отцом.

Король, однако, наблюдал за принцессами, не сводя глаз с Розы.

— Я задала Илликену несколько вопросов, — призналась Роза. — Но в конце концов передумала приглашать их наверх.

— Слава богу, образумилась, — рявкнула обычно кроткая Лилия.

— Лилия, — негромко заговорила Роза. — Выскользни из комнаты, отправляйся к озеру и жди там у серебряной лодки.

— Что? — вытаращилась та на сестру.

— Возьми с собой Фиалку и Петунию, — продолжала старшая принцесса. — Скажи, мол, ведешь их проветриться. — Глаза ее блеснули в сторону невидимого Галена. — Мне нужно остаться и помочь остальным.

— Это сделаю я, — уперся тот.

Лилия подскочила при звуке его голоса.

— Что это было? Гален? — У нее хватило ума перейти на шепот.

Он легонько коснулся ее запястья, и принцесса вздрогнула.

— Я здесь, ваше высочество. Мне повезло обнаружить лодку. Думаю, она принадлежала вашей матери. Но всех скопом она не выдержит, поэтому надо торопиться.

— Но мы прогневаем короля...

— Он вас не достанет, никогда, — заверил ее Гален с уверенностью, которой сам до конца не испытывал. Взглянув на помост, он увидел, что принцы вместе с отцом смотрят в их сторону. — Вперед! Не мешкайте!

Лилия расправила плечи и вскинула голову.

— Хорошо, Роза, — произнесла она звонким голосом. — Тогда я сама.

Она промаршировала на танцевальную площадку и постучала принца Фиалки по плечу.

— Извините. — Лилия перешла на обычный тон, и Гален едва разбирал ее слова. — Думаю, младшим пора навестить комнату отдыха. Они сегодня очень возбуждены. — Она взяла Фиалку за руку и увела ее от безропотного партнера.

Кавалер Петунии явно слышал разговор и, когда Лилия на всех парусах устремилась к нему, с легким поклоном шагнул в сторону. Однако Орхидею ей пришлось буквально выдернуть из рук партнера. Орхидеин принц увлеченно наблюдал за помостом и, рассеянно передав Орхидею сестре, тут же отошел и поклонился отцу с вопросом на устах.

— Скорей, скорей, — негромко бормотал Гален. Он видел, как Сирень о чем-то спросила Лилию, когда четыре принцессы поравнялись с ней, и с явным облегчением на лице присоединилась к веренице сестер. — Они привлекают слишком много внимания. — Он заметил, что бледный король переключился с Розы на Лилию и четырех младших девочек. — Слишком много сразу.

— С ними все обойдется, — краешком губ отозвалась Роза. — Только не паникуй.

— Роза! — Голос Подкаменного короля перекрыл музыку. — Не соблаговолишь ли присоединиться к нам?

Цепь из черной шерсти

— Не делай этого, — окликнул Гален, когда старшая принцесса направилась к помосту.

— Я должна, — шепнула та в ответ. — Это его отвлечет.

Она лавировала между танцорами. Большинство придворных увлеченно наблюдали за правителем и принцами и лишь вяло топтались на месте.

Гален двинулся за ней по пятам, краем глаза отмечая, что остальные принцессы перестали танцевать и тоже направились к возвышению. Мальва что-то шепнула Фрезии, та кивнула.

«Беги, Мальва. Беги, Фрезия. Бегите, пока можете», — мысленно взывал Гален. Его долг — следовать за ними, перевести лодку через озеро и вернуться за Розой, но он не мог покинуть любимую.

— Дорогая Роза, — вкрадчиво начал Подкаменный король. — О чем это ты спрашивала Илликена? Хочешь пригласить моих сыновей навестить смертное королевство?

— Так, мимолетная мысль, — небрежно отозвалась принцесса, но Гален стоял достаточно близко и видел, как она дрожит. — Мне подумалось, отцу следует познакомиться с ними, сир, прежде чем мы все поженимся. Но принцы не могут отправиться все одновременно, поэтому, наверное, не так уж это в конечном итоге и важно.

— Не важно? — вскинул брови бледный король. — Заверить твоего отца, что его драгоценные девочки будут в хороших руках? — Словно для наглядности, он потер длинные ладони, и от их сухого шелеста Галена передернуло.

Юноша видел, как Мальва, Маргаритка и Фрезия перемещаются к дверям бального зала. Лоб Розы покрылся бисеринками пота, и дрожала она пуще прежнего. Беспокоясь о том, как вывести старшую принцессу, Гален осторожно пошарил левой рукой в сумке, пока не нащупал серебряную ветку-спицу.

Ту, на которой несколькими часами ранее он выцарапал имя.

— Простите, сир, — вступила Гортензия, подходя и становясь рядом с Розой (Гален вовремя убрался с ее дороги, а то бы она в него врезалась).

Одной рукой принцесса обнимала Примулу, следом плелась Сирень.

— Что такое, дорогая Гортензия?

— Мы только хотели проверить, хорошо ли себя чувствует Роза, — ответила та. — Она так раскраснелась. — Девушка храбро вскинула подбородок и взглянула на короля. — Примула тоже не в лучшем виде, и я хотела спросить, нельзя ли нам пораньше удалиться к себе в покои.

Примула молчала. Однако она опиралась на Гортензию, положив голову ей на плечо. Сирень кивнула и взяла Примулу за свободную руку. Гален молча застонал: нет бы им просто выскользнуть из зала, не привлекая внимания короля.

— Ну, дорогие мои, вы ведь не лишите меня удовольствия любоваться вашими танцами... — Король прищурился и заглянул за спины четырех стоящих перед ним принцев. — Где остальные?

Если раньше внешность Подкаменного короля казалась Галену неприятной, то теперешняя перемена его просто ужаснула. Бледное от ярости восковое лицо казалось вырезанным из кости. Король вроде даже прибавил в росте, возвышаясь на треть корпуса над сыновьями.

— Вперед, Роза! — крикнул Гален, схватил ее за руку и толкнул к двери.

— Ты! Где ты?! — взвизгнул бледный король, обшаривая зал в поисках источника голоса. — Я тебя почти вижу!

Гален собрался с духом, а затем отбросил сомнения и выполнил задуманное.

Перехватив серебряную ветку в правую руку, он вспрыгнул на помост, вонзил ее Подкаменному королю в грудь и давил на зажатый в ладони конец, пока не заставил бессмертного правителя сесть обратно на трон.

Воздух наполнился ревом, поднялся ветер. Гален еще крепче вцепился в серебряную спицу, не зная, что случится, если он ее отпустит. Призрачные руки сжимали сердце Галена, легкие, череп, и на миг ему открылось, как погибли древние волшебники. Но с течением веков Подкаменный ослабел и, вместо того чтобы взорваться, сея в мире хаос, как того боялись волшебники, его сила просто перетекла в ближайший сосуд.

В Илликена. Старший принц пошатнулся, кожа и волосы его словно выцвели. Гален отпустил серебряную спицу, пронзившую сердце Подкаменного, и дрожащими руками потянулся за пистолетом. Зал взорвался воплями.

Придворные увидели, как содрогнулся и обмяк на троне правитель. Их вопли почти потонули в вое Илликена — отцовская мощь начала перекраивать его тело под себя. Остальные принцы с застывшими от ужаса лицами бросились на помост.

Гален быстро огляделся и с облегчением отметил, что Роза и последние три принцессы ускользнули, воспользовавшись общим смятением.

К сожалению, Илликен тоже это заметил.

— Роза! — крикнул он. — Моя невеста, невесты моих братьев! Они удирают! Взять их!

Стражники хлынули из дверей бального зала, за ними мчались жуткие придворные Подкаменного. Гален спрыгнул с возвышения и принялся прокладывать себе путь, стремясь оказаться в первых рядах и добраться до берега прежде, чем...

Он замешкался всего на секунду, а затем с новым рвением начал пробиваться сквозь толпу. Как перевезти всех двенадцать принцесс через озеро в одной лодке? Сумеет ли Лилия переправить младших сама? Оставалось только надеяться.

Гален первым вылетел из дверей на берег, но опередил преследователей всего на несколько секунд. И к своему ужасу, увидел двенадцать принцесс, стоящих на берегу с потерянным видом.

Двенадцать лодок принцев находились гораздо дальше. Серебряная лодка, когда он наконец высмотрел ее, бесцельно дрейфовала на середине озера. Торопясь к Розе, он вытащил ее на песок недостаточно далеко. Проклиная собственную глупость, юноша окликнул Розу.

Та слепо огляделась, и Гален вспомнил о плаще. На бегу он сдернул его через голову и сунул под мышку. Остальные принцессы вскрикнули при его внезапном появлении.

Преследователи неслись по пляжу во главе с Илликеном. Роза плотнее запахнулась в шаль, озираясь в поисках другой переправы.

— Белая, как лебедь, плывущий по воде, — проговорил Гален, во все глаза глядя на ее шаль и гадая...

Роза непонимающе взглянула на него.

— Шерсть, Роза, ее мне дала волшебница...

Он еще не договорил, а старшая принцесса уже кивнула и сняла шаль. Гален бросил ее на воду.

У них на глазах шерсть затвердела и расправилась, превратившись в треугольный плот, достаточно большой, чтобы выдержать всех. Гален на миг обмяк от облегчения, затем подхватил Фиалку и Петунию и прыгнул на белый клин, остальные последовали его примеру. Как только Примула, последняя, ступила на борт, волшебное суденышко понеслось через озеро.

— Они нагоняют! — Мальва указала назад, где принцы с нечеловеческой скоростью спускали на воду золотые лодки.

— Ты знаешь, как заряжать пистолет? — Гален смотрел на Розу, но ответила Лилия.

— Я знаю, — сказала она, забирая оружие у него из рук. — Друг научил. — И мастерски зарядила пистолеты, пока Гален занимался своим ружьем.

— Держи их наготове, — сказал он Лилии. — Стрелять умеешь?

Девушка кивнула, и Гален вспомнил, что это Лилия угрожала Рионину и остальным, когда те заявились в сад.

Они достигли дальнего берега и спрыгнули на черный песок. Белая шаль тут же сжалась и исчезла под водой.

— Веди остальных домой, — велел Гален Розе и встал на берегу с ружьем на изготовку. — Дождись, пока сможешь бить наверняка, — инструктировал он Лилию, которая замерла рядом бледная, но спокойная. — Не трать заряды зря. Перезаряжать некогда.

— Понимаю, — отозвалась она и взяла пистолет двумя руками, чтоб не дрожал.

— Сначала я.

Передняя лодка достаточно приблизилась. Гален целился в Илликена, но новый король бросился в сторону, когда юноша нажал на курок. В подземном мире прогремел выстрел, и другой принц, деливший лодку с Илликеном, вскрикнул и схватился за локоть.

Гален повесил ружье на плечо и поднял пистолет. Рядом с ним тщательно целилась Лилия. Молодой человек еще раз поискал Илликена, но тот припал ко дну лодки. Юноша навел ствол на вторую лодку и выстрелил. Сидевший на веслах принц откинулся навзничь, находившийся при нем стражник вскрикнул, лодка бешено закачалась и опрокинулась.

— Ха! — вскрикнула Лилия одновременно с выстрелом, и принц, в которого она целилась, схватился за плечо и рухнул на руки брату. — Свинья! — завопила она, лицо ее залилось румянцем.

Гален взглянул на девушку и увидел слезы у нее на щеках.

— Я с ним танцевала, — объяснила она.

Он схватил принцессу за руку:

— Бежим!

Лодка Илликена уже скрипела по песку на мелководье.

Они помчались к лесу, где нашли поджидавшую их Розу.

— Я же велел тебе уходить, — пропыхтел Гален, вбегая под сень серебряных деревьев.

— Знаю, — отозвалась Роза, подстраиваясь под их темп. — Но я не могла оставить тебя!

И как мы остановим Илликена? Он теперь король и наполовину человек. Он способен переходить в смертный мир в темноте.

— Разве еще не рассвело? — Румянец Лилии снова сменился бледностью.

— Не думаю, — задыхаясь, ответила Роза.

— Еще не меньше двух часов, — прикинул Гален.

Впереди они видели остальных принцесс — те как раз добрались до жемчужно-серебряных ворот. За спиной слышался топот обутых в сапоги ног по тропе и крики, словно лай гончих псов. Деревья слева от беглецов затрещали: проворный бегун ломился сквозь серебряный лес в надежде обогнать их.

Гален сорвал с плеча ружье и резко обернулся на звук. С воплем он подал вперед штык, оборвав победный крик одного из принцев, едва тот выскочил из-за деревьев.

Штык застрял намертво. Юноша оставил его и помчался дальше. Раскинув руки, он погнал Розу и Лилию перед собой в ворота. Остальные принцессы ждали у подножия золотой лестницы.

Илликен несся очертя голову, но тут затормозил, осторожно шагнул сквозь ворота и улыбнулся им.

— Иди ко мне, Роза, — протянул он руку в повелительном жесте.

Принцесса рядом с Галеном покачнулась. Тот поддержал ее.

— Сделка нашей матери заканчивается со смертью твоего отца, — храбро заявила Роза, хотя лицо ее застыло от напряжения — сопротивление Илликену отнимало много сил.

— Сделка переходит ко мне, так же как перешла от матери к тебе, — злорадно ухмыльнулся принц. — А теперь иди!

Некоторые принцессы уже начали подниматься, но остальные медлили, к растущей тревоге Галена. Мягкая рука коснулась его запястья, и Лилия прошептала из-за спины:

— На.

В ладонь ему легла рукоятка пистолета.

Гален взял оружие, держа дулом вниз и пряча за спиной. Он чуть отодвинулся от Розы, чтобы иметь возможность быстро вскинуть ствол.

— Иди же ко мне, Роза, — повторил Илликен. — Возможно, в наказание за попытку к бегству я женюсь на тебе прямо сегодня, сейчас.

Гален плавным движением поднял оружие и выстрелил. Он не промахнулся — пуля ударила Илликена прямо в сердце и отбросила спиной на ворота. Принц сполз на землю, а юноша подтолкнул Розу к золотой лестнице. Оставалось сделать еще одну вещь.

Илликен застонал и поднялся на ноги, словно дергаемая за ниточки марионетка.

— Хорошая попытка, садовник, — заметил он, отряхивая камзол. — Но простым железом меня уже не убить, ибо я теперь Подкаменный король! — Улыбаясь, он поднял руки.

— Нужна еще одна серебряная спица, — шепнула Роза, вернувшаяся от лестницы. — Лилия, — обратилась она к сестре, — бери остальных и иди. Мы с Галеном задержимся, чтобы... — И, не закончив фразу и высоко поддернув юбки, бросилась мимо Галена, мимо ошарашенного Илликена обратно в серебряный лес.

— Нет! — зарычал Илликен, когда Роза ухватилась за нижний сук ближайшего дерева и потянула его, чтобы отломать ветку.

Он догнал ее, схватил за запястье и поволок по тропе к озеру.

Застежка плаща-невидимки оставалась замкнутой. Гален натянул его через голову, исчез и поспешил по тропинке в лес. На бегу юноша дотянулся и отломал ветку, а потом еще одну, нагоняя Илликена и Розу.

На берегу их встретили оставшиеся принцы и придворные и вместе с Илликеном потащили Розу к ожидающим лодкам. Принцесса вырвалась, оттолкнув придворных, и помчалась назад к деревьям. Гален перехватил ее на полпути, поймал в объятия и накрыл плащом. Подземный двор ахнул, когда беглянка исчезла у них на глазах.

— Я вижу тебя, садовник! — крикнул Илликен, шагая по берегу.

Как и его отец, он щурился на место рядом с тем, где стояли Роза и Гален, словно знал, где они, но не мог разглядеть как следует.

— Что будем делать? — прошептала Роза.

— Ждать, — шепнул в ответ юноша.

Он чувствовал, как бьется ее сердце рядом с его собственным. Убрав руку с талии девушки, Гален вытащил из-за пояса нож и вслепую принялся царапать по поверхности серебряной ветки.

— Ага! — По-прежнему улыбаясь, Илликен протянул к ним широко раскинутые руки, словно хотел обнять обоих.

Гален выбросил правую руку вперед и пронзил сердце Илликена веткой, на которой только что вырезал имя принца. Не дожидаясь исхода, он круто развернулся, левой рукой не выпуская Розу из-под плаща, и помчался вместе с ней обратно к лесу. Они держались в тени, избегая тропы, где рыскали бледные стражи.

— Они не смеют проводить слишком много времени среди деревьев, — прошептала Роза, когда они приблизились к воротам.

Беглецы съежились под раскидистыми ветвями ближайшего к границе дерева. Между ними и свободой стоял один из принцев. Гален нашарил в сумке цепь.

— Когда он отвернется, беги к воротам, — сказал он Розе, и та кивнула.

Гален бросил на тропу пулю. Принц вздрогнул и пошел посмотреть, что там. Роза вырвалась из-под плаща и проскочила сквозь ворота, а по пятам за ней — Гален. Когда он с лязгом захлопнул створки, принц обернулся и вскрикнул.

— Теперь я Подкаменный король, — прошипела длинная тень, ухватившись за засов со своей стороны. — Тебе меня не остановить! — Пока он говорил, цвет уже утекал из его волос.

Гален не ответил. Он старательно продел один конец черной вязаной цепи сквозь прутья и обернул вокруг столба.

Новый король с криком отпрянул.

— Что это? Как ты по... — Он морщился и моргал, словно тусклая черная шерсть жгла ему глаза.

Так же молча Гален обернул цепь еще дважды, затем продел одно звено в другое и скрепил их намертво. Из сумки он выудил последнюю часть своего плана — матушкин серебряный крестик — и воткнул его в шерстяной узел. Серебро ярко вспыхнуло, и цепь превратилась из шерстяной в стальную.

— Вот, — сказал Гален, ощутив прилив яростной радости, а новый Подкаменный король отпрянул с гневным воплем. — Это выдержит.

Взяв Розу за руку, Гален повел ее по золотой лестнице в гостиную принцесс. Сестры с серыми от страха лицами выстроились кружком у ковра. При появлении Галена и Розы они заверещали от радости и кинулись обнимать и целовать обоих.

Фиалка бросилась Галену на шею и, всхлипнув, уткнулась ему в плечо.

— Я знала, что ты нас спасешь.

— Все уже позади, не волнуйся, — сказал Гален, гладя малышку по волосам.

Поверх ее головы он заметил неодобрительно глядящую на него Маргаритку. Он подмигнул ей, и она моргнула. Руки у него дрожали от усталости. Он поставил Фиалку на пол, но она вцепилась в его ладонь.

— Только завтра ночью нам придется вернуться, — глухо произнесла Примула.

— Нет, не придется, — возразила ей Роза. — Гален запер ворота цепью. Мы больше не вернемся, и никто за нами не придет.

Принцессы радостно завопили, все, кроме Примулы. Та схватила масляную лампу и без предупреждения швырнула ее на ковер с узором-лабиринтом. Шелк вспыхнул. Остальные девочки с криком отпрыгнули. Гален метнулся в ближайшую спальню и сдернул с кровати толстое одеяло. Однако он дождался, пока пламя не уничтожит ковер полностью, прежде чем набросить одеяло и затушить его.

— Очень умно, ваше высочество, — похвалил он Примулу, когда огонь потух.

— Можете звать меня Примулой, — сказала она, награждая его слабой улыбкой, затем шагнула вперед и робко положила ладонь ему на плечо.

Гален улыбнулся в ответ, нагнулся и поцеловал ее в бледную щеку. А затем для ровного счета повернулся и поцеловал Розу.

В губы.

Роза озиралась, краснея и жалея, что ее первый поцелуй состоялся на глазах у всех ее сестер (пусть он и был прекрасен). Но тут она заметила еще кое-что, и это ее потрясло. Мария, ее горничная, сидела прямо в своем кресле и таращилась на них во все глаза.

А ведь еще не рассвело.

— Ваши высочества вернулись! — взвизгнула женщина, прижала руки к груди и заплакала.

— Мария, ты не спишь!

Не отпуская руки Галена, Роза шагнула к горничной — ей это показалось еще большим чудом, чем избавление от Подкаменного королевства.

Мария сквозь слезы обвела взглядом комнату и нахмурилась.

— Ну, мы с остальными девушками ждали здесь, на случай вашего возвращения. Не знаю, как я вообще заснула, — последние дни тут такое творилось! — Она бросила странный взгляд на обугленные остатки ковра. — И чем занимались мои барышни, позвольте узнать?

Роза набрала побольше воздуха. Вот и первая проверка, действительно ли подземная власть над ними разрушена.

— Мы были в плену у Подкаменного короля, — ясно и четко произнесла Роза.

Мария потрясенно ахнула. Сестры Розы — тоже.

— Роза! Ты сказала! — запрыгала Петуния.

— Ты смогла это сказать! Мы можем это сказать! — Фрезия прижала руки к щекам.

— Хвала Господу. — Примула упала на колени и начала молиться.

Мария перекрестилась.

— Стало быть, мастер Вернер правду говорил. — Она кивнула Галену. — С тех пор как вы выкрикнули это имя на совете сегодня утром, его величество сам не свой, мастер Вернер. Но не знаю, поверил ли вам кто-нибудь, кроме меня да еще пары-тройки горничных.

Отпустив руку Галена, Роза подошла к своей верной служанке и обняла ее.

— Ох, Мария, это было ужасно. Но теперь все позади. — Она повернулась к остальным. — Надо немедленно пойти к папе!

В коридоре за дверью их покоев Роза обнаружила сидящего на стуле Вальтера Фогеля с древним мушкетом в руках. Старик поднялся на ноги и с трудом поклонился им. Два стражника лежали поблизости, один с распухшим носом, а другой с синяком на челюсти.

— Вальтер, что ты здесь делаешь? — Роза испуганно прижала руку к горлу.

— Забавное дело, — спокойно отозвался тот. — Сижу это я дома, трубочку покуриваю, и тут стук в дверь. Заходит мой знакомый, такой же старик, и велит мне взять мушкет и принести его во дворец. «Принцессам охрана нужна, — говорит он мне. — Не пускай никого к ним в покои, чтобы Гален мог закончить свою работу». — Вальтер пожал плечами. — Я так и сделал.

— Мне бы там, внизу, помощь пригодилась, — заметил юноша.

— Я старый-старый человек, Гален, — тихо сказал Вальтер. — Думаю, ты это знаешь. Спустись я вниз с тобой, там бы и остался, а у меня еще здесь дела. Подкаменный не единственный в своем роде. — Его морщинистое лицо расплылось в ухмылке. — И ты, похоже, прекрасно справился сам.

— Да, прекрасно, — согласилась Роза.

— Пришлый епископ сейчас с вашим отцом в зале совета, — предупредил Вальтер.

— Хорошо, — кивнула Роза. — Вальтер, мне нужно как можно больше свидетелей. Не будешь ли так добр пойти с нами?

— Конечно, ваше высочество.

Во главе процессии Роза прошествовала по коридору и без стука вошла в зал совета. Король Грегор сидел не в своем обычном высоком резном кресле, но в простом кресле поменьше посередине комнаты. Обычно порывистый, король казался бледным и запуганным.

Традиционно принадлежавшее королю место занимал епископ Анжье, причем с самым что ни на есть самодовольным видом. Присутствовали также премьер-министр и с полдюжины главных отцовских советников, кто с мятежным, кто с покорным лицом. Казалось, епископ только что отчитал их всех, как мальчишек.

Но внезапное явление Розы с сестрами, Галена, Марии и Вальтера ошеломило даже Анжье. Розе реакция присутствовавших пришлась весьма по душе, и она постояла с мгновение, чтобы все хорошенько их рассмотрели. Принцесса знала, что и она, и сестры выглядят ужасно: странные темные одеяния порваны и заляпаны искрящейся черной грязью, лица чумазые и потные, волосы в беспорядке. У Галена на щеке пятна пороха, а у Лилии по той же причине черные руки.

— Отец, — произнесла наконец Роза, когда все достаточно нагляделись и Анжье начал раздуваться, явно готовый высказаться. Она присела в реверансе. Сестры и горничная последовали ее примеру, Гален и Вальтер поклонились. — Мы вернулись.

— Вернулись? С танцев с дьяволом? — Голос Анжье подутратил силу.

Роза, однако, не сводила глаз с Грегора.

— Мы долго пробыли под властью проклятия, отец. Но теперь оно снято.

Король встревоженно взглянул на Розу, а затем на остальных дочерей:

— Все кончилось?

— Кончилось, — твердо сказала Роза. Она взяла Галена за руку и вытащила его вперед. — Благодаря мастеру Вернеру.

Лицо короля Грегора затопило облегчение. Советники загомонили все разом, а Анжье вскочил на ноги, колотя мясистым кулаком по подлокотнику кресла и криком призывая к тишине.

— Я буду вести следствие, — заявил епископ.

— Какое следствие? — прорезал всеобщий гвалт голос короля. — Мои дочери вернулись с радостной вестью. В расследовании нет нужды. — Он выпрямился и разгладил сюртук. На лицо, прежде серое от тревоги, стремительно возвращались краски. — Мастер Вернер, правду ли вы сказали сегодня утром? Вы наконец выяснили, куда ходили по ночам мои дочери?

— Это чушь! Девицы научились дьявольским ухваткам у этой бретонки! — Завопил Анжье. — Вам повезло, Грегор, что ваше положение защищает вас и ваших дочерей...

— Ну, брат Анжье, давайте не будем торопиться с обвинениями, — донесся негромкий голос.

В дальнем углу комнаты, словно заглушенный на время более ярким братом по церкви, поднялся епископ Шелкер. Этот добрый человек, крестивший Розу и всех ее сестер, с облегчением улыбнулся принцессам, выходя вперед.

— Епископ Анжье, должен признаться, меня несколько смутила поспешность, с которой вы объявили короля Грегора и его юных дочерей виновными, — сказал он, не сводя мягкого взгляда с Анжье.

Тот пошел красными пятнами.

— Архиепископ полностью доверяет моему суждению! — прорычал он.

— В самом деле? — Шелкер вытащил из рукава свиток. — У меня тут письмо от его святейшества, Анжье. Его доставили всего несколько минут назад. Архиепископ спрашивает, как продвигается наше общее расследование по данному вопросу. Его святейшество также ссылается на инструкции, которые вам полагалось вручить мне и которых я так и не получил.

Анжье сглотнул и расправил манжеты.

— Ну, Шелкер...

— Похоже, — перебил его Шелкер, — архиепископ давно озабочен вашим чрезмерным усердием в расследовании вопросов колдовства. Вы не были первым, на кого пал его выбор при поручении этого дела. Но и первый, и второй кандидаты совершенно неожиданно занемогли. Это, естественно, вызвало у его святейшества подозрения. В добавление к заботам о том, чтобы с королем Грегором и его дочерьми обращались со всем уважением, он попросил меня присмотреть за вами и остановить дело, если я решу, что вы превысили полномочия. И полагаю, так оно и есть. — Шелкер никогда не повышал голоса. — Стража. Пожалуйста, проводите его святейшество в его покои и позаботьтесь, чтобы он их не покидал. Отца Михаэля тоже.

Анжье с большим достоинством оправил сутану и выплыл из комнаты прежде, чем стражники успели наложить на него руки. Проходя мимо Розы и ее сестер, он бросил на них яростный взгляд и прошипел:

— Зло никогда не победит.

— Я знаю, — ответила Роза.

Лопочущего с выпученными глазами отца Михаэля стражникам пришлось вывести. Он бормотал, что ничего не знал о болезнях других епископов и ни в чем не виноват. Шелкер проводил его разочарованным взглядом, затем повернулся к королю Грегору и коротко кивнул.

Король в свою очередь посмотрел на Галена.

— Теперь, когда с неприятной частью покончено, не просветите ли вы нас всех? — К нему вернулась его привычная резковатая манера.

Гален выступил вперед и поклонился. Советники опять подняли шум. Юноша вскинул руку, требуя тишины, дождался, пока она наступит, а затем сказал:

— Ваше величество, каждую ночь всю прислугу ваших дочерей охватывал глубокий сон. Затем принцессы спускались по золотой лестнице сквозь пол в их гостиной. — Он вытащил из кошеля на поясе обугленный кусок шелка. — Это остатки ковра, который превращался в лестницу. Его уничтожил огонь от руки принцессы Примулы.

Он выложил обрывок на стол перед королем Георгом.

— Их высочества проходили через серебряные с жемчугом ворота в серебряный лес.

Гален протянул руку и вынул что-то у Розы из волос. Она испугалась, но он ободряюще улыбнулся ей, а затем положил перед ее отцом серебряный лист.

Король Грегор взял его и внимательно изучил. Сидящие вдоль всего стола советники смотрели на Галена с восхищенным вниманием.

— За лесом на берегах большого черного озера принцесс встречали двенадцать кавалеров и переправляли их в золотых лодках во дворец на острове посреди вод.

Гален вынул платок и развернул его перед королем. На ткани мерцала последняя щепотка черного песка.

— Там они танцевали до зари со своими кавалерами, сыновьями Подкаменного короля. — И Гален извлек из сумки серебряный кубок, усыпанный драгоценными камнями. — Это он держал ваших дочерей в рабстве. Он не давал им произнести ни слова о заклятии.

Премьер-министр не выдержал:

— И как же вышло, что этот злодей захватил власть над принцессами? Юные барышни их воспитания не имеют дела с бесами!

— Они и не имели, — спокойно повернулся к нему Гален.

Роза подалась вперед, собираясь что-то сказать, но юноша остановил ее, пожав ладонь.

— По крайней мере, не по собственной воле. Они оказались связаны необдуманным обещанием другого человека и неповинны в колдовстве, так же как их отец. Гибель иностранных принцев — дело рук Подкаменного короля. Он был так же реален, как мы с вами, и настолько же зол, насколько епископ Шелкер добр. Подкаменный король проделал все это без ведома и содействия принцесс. Но теперь он мертв, как и многие из его сыновей, а уцелевшие надежно заперты в темном царстве.

— Откуда такая уверенность? — Король Грегор положил руку на плечо Примулы, словно хотел защитить ее.

— Он сделал цепь, — выступила вперед Роза. После стольких лет вынужденного молчания она не могла вынести, чтобы всю историю рассказал один Гален. — Связал из черной шерсти на спицах, сделанных из серебряных ветвей тамошнего дерева. — Она подняла листок. — Деревья в подземном мире выросли из маминой броши, некогда подаренной ей ее крестным в Бретони. Ворота заперты на цепь, а в узел воткнут серебряный крест. Твари из Подкаменного королевства больше не в силах строить козни в нашем мире.

— Это сделал ты? — Король Грегор вскочил на ноги, глядя на Галена, как на помилованного смертника. — Ты спас моих дочерей и запер подземное царство?

— Да, сир, — тихо ответил юноша. — Мне помогли Вальтер Фогель и фройляйн Анна. Я попросил кухарку сварить цепь с базиликом и белладонной для надежности, а крест принадлежал моей матушке.

— Он был невидимый! — Петуния тоже больше не могла сдерживаться. — Он там бегал, стрелял в плохих принцев, и кричал, и бросил меня и Фиалку на плот, чтобы мы могли убежать. Ой! А шаль, которую он связал для Розы, оказалась волшебной и превратилась в плот! И он дал Лилии пистолет, и она кого-то застрелила!

Фиалка подергала отца за рукав.

— И он сделал мне это, — прошептала она и показала королю Грегору свой изрядно потрепанный пушистый мячик.

— Правда? — Король Грегор поднял Фиалку на руки. — Какой храбрый молодой человек! — Он задумчиво посмотрел на Галена. — И как именно вам удалось сделаться невидимым, мастер Вернер?

— С помощью вот этого, — ответил Гален, вытащил из сумки тускло-фиолетовый плащ и набросил на плечи, затем застегнул золотую пряжку и исчез.

Даже видевшие это раньше сестры Розы вскрикнули. И советники — тоже. Петуния, однако, захлопала в ладоши и шагнула вперед потыкать пальчиком воздух, где он только что стоял.

— Гален, ты где?

— Прямо тут.

Петунию подняли в воздух невидимые руки. Затем она тоже исчезла. Спустя секунду оба появились снова, и Гален поставил принцессу на пол. Вид у него был измученный, но он все равно улыбался.

— Я залезла под плащ и стала невидимой, — пискнула Петуния. — Рози, ты видела?

— Видела, — сказала Роза, взяла ее за руку и посмотрела на епископа Шелкера.

Но заговорил премьер-министр.

— Все-таки, — начал господин Шиллер, — это колдовство!

— Ой, уймитесь! — подал голос министр финансов, пожилой мужчина с редкими белыми волосами. — Подобные магические артефакты во времена моей бабушки были обычным делом. Я помню, как она рассказывала мне о семимильных сапогах и прочих вещах. — Он поднял дрожащую руку. — Можно посмотреть плащ?

— Конечно, сударь. — Гален с некоторой неохотой передал ему плащ. — Мне его подарила одна старая женщина, я встретил ее по пути в Брук.

— Ведьма, — прошипел кто-то.

— Полагаю, некогда она могла принадлежать к числу волшебников, заточивших Подкаменного в его тюрьму, — отрезал Гален, пресекая все дальнейшие комментарии.

Даже епископ Шелкер просто кивал и смотрел задумчиво.

— Кем бы она ни была, если она когда-либо придет к моим воротам, я сделаю ее баронессой, — заявил отец Розы. Он повернулся к своим министрам: — Убедились вы наконец, что мои дочери неповинны в смерти тех несчастных принцев?

Советники заспорили. Они гомонили и колотили кулаками по столу. Вальтер помалкивал, а когда Гален взглянул на него, старик просто пожал плечами. Юноша догадался, что Вальтеру нечем подтвердить свою историю.

Епископ Шелкер попросил считать обвинения Анжье недействительными, поскольку тот превысил данные ему полномочия. Сам же тихий Вестфалинский епископ явно верил, что Гален и принцессы не повинны ни в каких преступлениях.

— Довольно! — вскричал наконец король Грегор. — Я здесь король, и если я удовлетворен, то и вы все тоже!

Советники закрыли рты и подчинились.

Король с минуту разглядывал Галена.

— Молодой человек, я помню, что вы предложили помощь совершенно бескорыстно, и я бесконечно вам за это признателен.

Все советники застучали кулаками по столу в знак согласия.

— Но, учитывая безмерность услуги, оказанной вами моим дочерям и вашей стране, полагаю, награда вам все-таки причитается.

Снова стук.

Гален густо покраснел до кончиков ушей:

— Право же, сир, мною двигало лишь стремление спасти Ро... помочь принцессам.

Роза почувствовала, как ее собственные щеки заливает румянец. Вряд ли кто-то не заметил оговорки Галена, и ее сердце готово было выскочить из груди от радости.

Ее отец лукаво улыбнулся:

— Думаю, я поступил бы нечестно, отказав в награде спасителю моих девочек и моего королевства. И еще меньше чести умалить его награду лишь потому, что благородство его духа не подкреплено благородством имени. Гален Вернер, ты волен выбрать одну из моих дочерей себе в невесты, а после моей смерти ты воссядешь рядом с ней как соправитель Вестфалина.

— Ваше величество, я...

— Бери, парень! — гаркнул министр финансов.

— Ты заслужил это, Гален, — с великой убежденностью произнес Вальтер.

— Правда заслужил, — поддержал его епископ Шелкер и бросил на Вальтера проницательный взгляд.

— Я... Я не знаю...

У Розы подогнулись колени. Неужели он ее все-таки не любит?

— Эй, Гален! — подергала его за руку Фиалка.

Юноша нагнулся к ней.

— Если Роза за тебя не хочет, — громко прошептала маленькая девочка, — ты можешь жениться на мне.

Гален слабо хохотнул:

— Спасибо, Фиалка.

— Ой, Роза! Ну не стой же столбом, — фыркнула Мальва, тыча сестру в спину. — Если он слишком смущен, то говорить придется тебе.

— Мальва! — возмутилась Маргаритка. — Не Розино дело...

Под прикрытием их перепалки Роза взяла Галена за руку и придвинулась к нему.

— Хочешь на мне жениться? — прошептала она гораздо тише, чем Фиалка.

— Да, — ответил он.

— Если никто из вас не собирается высказаться, — предупредил король Грегор, — я приму решение сам!

— Отец, — возразила Роза, — в этом нет нужды!

— Я выбираю Розу, — одновременно с ней выпалил Гален.

— Вот. Сделано. Легко. — Король Грегор захлопал в ладоши. — Теперь, полагаю, на очереди пир. Кто-нибудь, пошлите в кухню за едой и питьем.

— Да, сир, — дружно сказали Роза и Гален, широко улыбаясь.

Весна

Гален надел Розе кольцо под пологом белого шелка у лебединого фонтана, где они впервые встретились. Благодаря неустанным трудам Райнера, Вальтера и остальных садовников Сад королевы был прекрасен, как никогда.

По предложению Галена древний дуб, где, как он подозревал, пересекали границу миров королева Мод и темные принцы, выкорчевали. Епископ Шелкер освятил землю, и там посадили рябину.

Гален рвался поучаствовать в работах, но король посвятил его в рыцари, а рыцарю не подобает копаться в земле. Вальтер сделал каждой принцессе по короне из цветов ее имени. Роза в белом платье с обрамляющими лицо белыми и алыми розами была восхитительна.

Церемонию вел епископ Шелкер. Он успешно подал прошение о снятии интердикта и возобновлении церковных служб в Вестфалине. Анжье и отца Михаэля с позором препроводили в Рому.

Подробности тайны королевских дочерей огласке предавать не стали, но архиепископ сделал публичное заявление, где гибель принцев объявлялась случайностью и королевской семье и Анне даровалось прощение.

По настоянию принцесс на свадебном приеме обошлись без танцев. Вместо этого по всему саду расставили диваны, чтобы гости могли присесть, перекусить и поболтать. Гален увидел, что Вальтер завладел диваном в розовой обивке под раскидистым вязом, и поднял стакан. Старик в ответ поднял собственный бокал, как и его спутница. Юноша моргнул: раньше он не заметил этого, но рядом с Вальтером сидела пожилая дама в темно-фиолетовом платье. Вокруг талии у нее красовался пышный синий кушак, и, судя по его виду, жизнь свою он начинал шерстяным шарфом. Гален снова моргнул, и Вальтер с женщиной пропали.

— Роза, ты видела...

Но закончить вопрос ему не довелось. По тропинке из глубины сада хромал молодой человек в поношенном солдатском мундире. Он проходил мимо празднующих, и люди замолкали и провожали его взглядом. Обернувшись, Гален заметил, что Роза тоже смотрит на незнакомца во все глаза. Она сильно побледнела.

— Лилия, — сдавленным голосом позвала новобрачная. — Лилия!

Лилия, отиравшая с личика Петунии остатки торта, подняла глаза. Она увидела солдата и уронила мокрый платок. Тот перешел на бег, насколько позволяла хромота, и Лилия буквально влетела в его объятия.

— Генрих, — всхлипнула она.

— Генрих! — радостно взвизгнула кузина Галена, Ульрика, и подбежала к молодому человеку.

Она нетерпеливо топталась рядом, пока он не закончил целовать Лилию и не смог обнять и ее тоже.

Тетя Лизель упала без чувств, и вдова Зельда Вайс бросилась ей на помощь. Гален тоже двинулся было к тетушке, но Роза удержала его, с округлившимися глазами кивнув на Райнера Орма.

Райнер был мрачен.

— Ульрика, — рявкнул он, — отойди от этого человека!

— Но это же Генрих! — сквозь слезы воскликнула Ульрика.

Они с Лилией держали Генриха за руки, образуя кружок. Дрожащим пальцем Лилия провела по длинному белому шраму на щеке Генриха. Он перехватил ее ладонь и поцеловал.

— Мой сын, — простонала Лизель, когда Зельда привела ее в чувство.

— Мама. — Болезненно хромая, Генрих направился к ней, одной рукой по-прежнему обнимая Лилию.

— У нас нет сына, — сказал Райнер.

— Это очень плохо, — отозвался король Грегор. — Потому что, сдается мне, моей дочери сильно нравится этот молодой человек. А коль скоро ее старшая сестра вышла замуж, то я ищу подходящую партию для Лилии.

— Из солдат получаются прекрасные мужья, папочка, — колокольчиком вклинилась Роза, обнимая Галена за талию.

— Мне тоже так кажется, дорогая, — улыбнулся Грегор.

— Сир, — обратился к нему Генрих, явно разрываясь между желанием подойти к матери и разобраться с отцовским отречением. — Я — Генрих Орм.

— Я знаю, кто ты, парень, — ласково сказал король: свадьба привела его в благодушное настроение.

— Я очень люблю вашу дочь Лилию, сир, — продолжал Генрих. Лилия, крепко держась за его руку, покраснела. — Только ранение не позволило мне явиться к вам быстрее и просить ее руки.

— Ой, папочка, пожалуйста, скажи «да», — взмолилась Лилия; щеки ее были мокры от слез, а глаза сияли как звезды.

— Я служил в батальоне Орла, — гордо произнес Генрих. — Мы первыми вошли в Аналузию и последними покинули ее. Я был ранен при сопровождении нашего нового посла на его первую встречу с аналузским королем.

— Это так? — Король явно оценил доблесть юноши.

— Он бросил свои обязанности по отношению к Саду королевы, сир, — произнес с багровым лицом Райнер. — Он пошел поперек моей воли! Я отрекся от него!

— Райнер, придержи язык! — Снова оказавшись на ногах, тетя Лизель подошла и обняла сына, целуя его и орошая его щеки слезами. — Я позволила тебе повесить над нашей дверью траурную ленту. Я позволила тебе говорить о нашем сыне как о мертвом, ведь когда от соседских сыновей пришла весточка об ужасах первого боя, а от Генриха — ни слова, даже я поверила в его гибель. Но он не умер, — продолжала она сдавленным от слез голосом. — Он жив! И по-прежнему влюблен в свою прекрасную принцессу! Как ты не понимаешь, Райнер! Господь благословил нас! —

Она протянула руку Галену, и тот принял ее, с другой стороны за него по-прежнему цеплялась Роза. — Наш сын вернулся к нам! А мальчик моей дорогой Ренаты вернулся и спас принцесс от бог знает каких ужасов. Это же чудо!

Все собрание затаило дыхание, не сводя глаз с Райнера Орма. Наконец с подозрительно влажными глазами главный садовник шумно выдохнул и кивнул.

— Добро пожаловать домой, сын, — хрипло произнес он.

— Спасибо, — отозвался Генрих.

Райнер протянул руку, намереваясь поздороваться с сыном по-мужски. А Генрих отпустил Лилию и мать и обнял отца.

Король Грегор покачал головой и пробормотал что-то насчет «старого упрямого дурака». Гален поймал взгляд Розы, и они незаметно улыбнулись друг другу. Пока Лилия вела Генриха к дивану, а Орхидея тащила им торт и лимонад, Роза со вздохом опустилась на другой диван.

Гален плюхнулся рядом с ней.

— Стало быть, это мой кузен, — задумчиво произнес он.

— Да, а также притча во языцех всего Брука. Сын садовника влюбился в принцессу, а потом ушел в армию, и собственный отец объявил его мертвым. — Она покачала головой. — Сплетницы больше ни о чем говорить не могли, пока не всплыли наши стоптанные туфельки.

Гален коснулся ее щеки:

— Ты не станцуешь со мной? Мне очень понравилось в тот раз на полночном балу. Но я бы не возражал быть видимым, чтобы ты пореже наступала мне на ноги.

Роза скорчила ему гримаску:

— Ха! Да я прекрасная танцовщица! Но я пообещала отцу избавить его от стоптанных бальных туфель.

— Что ж, прекрасно, — сказал Гален. Он нагнулся и, сняв с нее туфельки, бросил их через плечо в куст сирени. — Позволь пригласить тебя на этот танец!

Гален вывел Розу на ровный газон и кружил ее в вальсе по мягкой зеленой траве, пока солнце не село и звезды не засверкали в ночном небе.

Вязальные схемы

Мужчина вяжет? Неслыханно!

Ну, может, и нет...

Веками в профессиональных гильдиях вязальщиков состояли исключительно мужчины, поскольку вязание считалось для женщин слишком сложным занятием! Но даже после того, как женщинам позволили участвовать в «мужском искусстве» вязания, мужчины продолжали вязать. Во многих скандинавских школах учат вязать всех, и перед выпуском каждый обязан сдать шапочку и пару варежек. У меня в колледже была подруга, носившая красивые варежки и шапочку с узором из снежинок, связанные ее мужем-шведом еще в школе. Да и солдаты во время Первой и Второй мировых войн нередко сами вязали себе носки, шарфы и шапки.

Моя бабушка начала учить меня вязанию в мои тринадцать лет, но, когда у нее не получалось что-то мне объяснить, она звала дедушку. Он начал вязать, чтобы убивать время в длинных деловых поездках, — выучился у своего начальника, вот так-то, — и наделал всему семейству чудных одеял. Когда он покинул этот мир, я закончила его последнее одеяло в подарок маме.

Шаль Розы

Материалы:

Круговые спицы № 9 (начните вязать на прямых спицах, а позже, когда шаль станет слишком длинной, переведите вязанье на круговые спицы)

Приблизительно 430 метров объемной пряжи

Гобеленовая игла для закрепления концов

Инструкция:

Наберите 4 петли (+ 2 кромочные), закрепите английской булавкой или специальным маркером первую петлю, чтобы обозначить лицевую сторону работы. Все нечетные ряды будут начинаться с этой отметки справа. *1-й ряд:* 1 лицевая, 1 лицевая за переднюю стенку, не сбрасывая ее с левой спицы, провяжите 1 лицевую за заднюю стенку в ту же петлю, снимите. Повторите, провяжите последнюю петлю. Теперь у вас 6 петель. *2-й ряд:* 2 лицевые, 2 следующие петли лицевыми за переднюю и заднюю стенку, 2 лицевые. У вас получилось 8 петель. *3-й ряд:* все лицевые. *4-й ряд:* 3 лицевые, накид (оберните пряжу вокруг правой спицы, чтобы добавить петлю без провязывания), 2 изнаночные, накид, 3 лицевые. Повторяйте ряды 3-й и 4-й, пока шаль не станет размером от кончиков пальцев правой руки до кончиков пальцев левой. Закройте петли.

Цепь из черной шерсти

Материалы:

4 двухконечные спицы № 6

1 моток шерстяной пряжи

Инструкция:

Наберите 24 петли, поровну разделите их на три спицы (по 8 на спицу). Прикрепите маркер и начинайте работу по кругу, стараясь не перекручивать. Провяжите 4 ряда, закройте петли и спрячьте концы нити. У вас получилось звено цепи. Наберите 24 петли, наденьте предыдущее звено на спицы, чтобы оно свисало со средней спицы, и проследите, чтобы рабочая нить не запуталась в нем. Провяжите 4 круга, закройте петли. Наберите 24 петли, наденьте второе звено на центральную спицу, следя, чтобы рабочая нить не запуталась в нем (первое звено цепи при этом остается свободным). Провяжите 4 круга, закройте петли. Продолжайте вязать таким же образом, пока хватит терпения.

Валяние: поместите цепь в наволочку на молнии или в обычную наволочку (отверстие завяжите узлом, чтобы цепь не выпала) и выстирайте в горячей/холодной воде. Простирайте цепь 2–3 раза, пока она не сваляется до нужной вам кондиции. Закатайте ее в полотенце, чтобы отжать лишнюю воду, и разложите на другом полотенце для высыхания, придав звеньям желаемую форму.

Помимо применения в волшебстве, цепь можно использовать как шарф, пояс, ремень для сумки. Искусственное волокно не сваляется, как и шерсть, допускающая «интенсивную стирку», так как оно соответствующим образом обработано. Убедитесь, что ваша пряжа состоит на 100 % из шерсти или смеси шерсти с другими натуральными волокнами типа мохера, ангоры или сои. На ярлыке часто указывают, сваляется шерсть или нет.

Благодарность

Должна признать, что это не та книга, которую я изначально писала для моей сестры Джен, но все равно она хорошая и все равно для нее. Исходная книга для Джен может никогда не увидеть света, увы. Но когда я раздумывала, кому бы могла принадлежать эта книга, я подумала о Джен. Она познакомила меня с жанром фэнтези, вывезла на Всемирный фэнтези-конвент и сделала бессчетное множество всего другого — куда больше, чем велит простой сестринский долг.

Так что получи, дорогая, свою собственную книжку!

Я бы уже давно сидела в комнате с мягкими стенками, пуская слюни, если бы не некоторые замечательные люди: мой долготерпеливый муж, моя сестра/психотерапевт/стилист и остальное семейство, родственники и вообще. Более чудесных, понимающих и надежных людей и пожелать нельзя. Они рассказывали о моих книгах, присматривали за моим ребенком, пока я писала, приезжали издалека посмотреть, как я читаю вслух и раздаю автографы в книжных магазинах, и просто были бесподобны во всех отношениях.

Отдельная благодарность моему агенту. Она успокаивает меня, когда я звоню ей в полном раздрае, и не возмутилась: «Что, очередной пересказ волшебной сказки?» — когда я поведала ей об этой книге, но протянула: «Интересная идея». (Вот поэтому я ее и люблю.) И моему редактору, которая не воскликнула: «Вязальные схемы?!» — когда я поведала ей об этой книге, но выдохнула: «О-о-о!» (И поэтому я люблю ее. К тому же она присылает мне шоколад.)

Мальчик и Пиппин в основном отвлекали, но они оба ужасно милые, и я не была бы самой собой без них.

И наконец, я хотела бы поблагодарить добрых людей из компании «Твизлер», чьи «Земляничные завитки» позволили мне осилить первую редакцию этой книги. А также прекрасных изготовителей канадского сухого имбирного эля, благодаря которым я выдержала переписывание, когда сообразила, что мутит меня не от нервов, — это был Ребенок 2.0!

Содержание

Литературно-художественное издание
Для среднего школьного возраста

СЕРИЯ «БИБЛИОТЕКА НАСТОЯЩИХ ПРИНЦЕСС»

Джессика Дэй Джордж

Принцесса полночного бала

Ответственный редактор *Елена Гуляева*
Редактор *Эльмира Синельщикова*
Художественный редактор *Татьяна Павлова*
Технический редактор *Валентин Бердник*
Корректор *Лариса Ершова*
Компьютерная верстка *Валентина Бердника*

Главный редактор *Александр Жикаренцев*

ООО «Издательская Группа „Азбука-Аттикус“» —
обладатель товарного знака АЗБУКА®
119334, Москва, 5-й Донской проезд, д. 15, стр. 4

Филиал ООО «Издательская Группа „Азбука-Аттикус“»
в Санкт-Петербурге
191123, Санкт-Петербург, Воскресенская наб., д. 12, лит. А

ЧП «Издательство „Махаон-Украина“»
04073, Киев, Московский пр., д. 6 (2-й этаж)

Знак информационной продукции
(Федеральный закон № 436-ФЗ от 29.12.2010 г.): 12+

Подписано в печать 17.04.2015. Формат издания 84×108 1/32.
Гарнитура «Metropol». Печать офсетная. Бумага офсетная.
Усл. печ. л. 18,48. Тираж 3000 экз. Заказ № 8301/15.

Отпечатано в соответствии с предоставленными материалами
в ООО «ИПК Парето-Принт».
170546, Тверская область, Промышленная зона Боровлево-1,
комплекс № 3А
www.pareto-print.ru